Madame
Roman

Thyde Monnier

Madame
Roman

FRANCE LOISIRS
123, boulevard de Grenelle, Paris

Édition du Club France Loisirs, Paris,
réalisée avec l'autorisation de la Librairie Arthème Fayard.

© Librairie Arthème Fayard, 1957.

ISBN : 2-7441-2276-9

A mes amis Odette Camp
et Henri Tomasi.

« Ils sont drôles... Ils me disent : "Et pourquoi vous voulez mourir, madame Roman"? » Moi, c'est pas que je veuille mourir, j'accepterais bien de vivre une éternité. Et que mes quatre-vingt-cinq ans, je les paraisse pas, c'est possible, seulement je les ai! Quatre-vingt-six, quatre-vingt-sept, quatre-vingt-dix,.. Après, ma belle, y faut faire le saut! Que ça te plaise que ça te plaise pas. Plus loin, y en a pas beaucoup qui y arrivent.

Et quand même j'y arriverais? Qu'est-ce que je ferais de plus que de venir à mon cabanon tous les matins comme à présent et de retourner tous les soirs à la maison d'en ville? Cyprien parlait toujours de faire monter un étage, avec une chambre pour coucher. Un moment où il a eu une occasion, il a acheté des briques et il a fait apporter du sable. Tout ça, c'est là derrière, depuis tant d'années, que les cardelles, le bouillon-blanc et la bourrache y ont grimpé dessus et même une grande traînée de vigne vierge que je me demande d'où la graine en est venue? Parce qu'ici c'est rare, c'est une plante qu'il y faut l'humide. Des genévriers, des cistes, des genêts, ça oui, ça pousse tout seul au sec. Enfin, celle-là elle a tant jeté de tiges, avec ses petites ventouses en pattes de tarentes qu'elle est arrivée sur le grillage et qu'elle fait d'ombre aux poules. Elle sert à quelque chose.

Ah, c'est pas tout de se parler! Y faut faire à manger. Moi, voilà mon genre, j'arrive de La Côste que j'y ai ma bonne maison d'en ville, je viens à mon cabanon de Drailles, je m'assieds devant ma porte où le bleu aurait besoin de peinture et je reste là, les dix doigts sur la robe comme dix petits lézards qui se prendraient le soleil...

C'est que le soleil de juin, il est bon à tout le monde. Même des fois, il est trop fort, on se souhaite un peu de frais. L'aïguadier par exemple, y doit se penser que pour le mois de juin, ça devrait être comme pour le mois d'avril qu'on dit : « Il est de trente, s'y pleuvait trente et un, ça ferait de mal à personne. » Non pourtant, parce qu'alors les pommes d'amour viendraient pas rouges, et ce serait dommage. Je dois en avoir des mûres, moi? Si ma poulette noire, elle m'a fait l'œuf à son habitude, je me le glisse sur deux tomates et ça fait mon dîner. Je vais voir. Il les aimait, Cyprien, les tomates sur les œufs. S'il était là j'en mettrais quatre. Seulement lui, il préférait de manger bien calé sur la chaise, les pieds sous la table, tandis que moi, je suis bohème et je mange sans histoire, l'assiette sur les genoux.

Mais qui c'est qui passe derrière mes lilas? Ah, je le vois, justement c'est l'aïguadier. Et tè, ils sont deux aujourd'hui? Il a mené un collègue? Qui ça peut bien être?

— O Fonse?

— O madame Roman, bonjour!

— Tu viens mettre l'eau, Fonse?

— Hé oui madame Roman, mais pas à vous.

— Et pourquoi, pas à moi?

— Parce que votre tour, y viendra pas avant ce soir neuf heures.

— Ce soir neuf heures? Misère de nôtre! Y a long-temps que je serai couchée dans ma chambrette d'en ville. Et pourtant mes tomates elles ont soif, mais on nous donne l'arrosage au compte-gouttes!

— Je sais, ma pauvre. N'oubliez pas que nous sommes dans un pays sec que l'eau y est précieuse. Que faire? Je dois d'abord la mettre aux Valdebrègue...

— Hou aïc aïe! C'est les plus loin.

— Puis à La Sousta, puis aux Améniers où ils ont des haricots écheleurs qui boivent comme des hommes! Après, je descends vers les Roques, puis il y a encore les Vannier, les Gaubert... O non madame Roman, comptez pas de l'avoir avant neuf... si c'est pas dix heures.

— C'est embêtant, tu sais, Fonse? Parce que moi, si je reste ici de nuit, je prends froid et j'ai les douleurs du rhumatisme que ça me fait raide comme un piquet.

— Vaï vaï, vous êtes encore solide! Et vous êtes bien tranquille à votre cabanon, que vous avez rien à penser de tout le jour.

— Je dis pas. Seulement pour aller me tremper les pieds dans les rigues, j'ai plus mes beaux quarante ans!

— Ah, je vois... Vous voulez que je vienne vous lever la vanne? Bon, je viendrai! Vous voyez j'ai un collègue. A nous deux, nous s'arrangerons pour vous le faire, votre arrosage.

9

— O tu es brave! C'est pas à moi de te le demander, mais si tu le fais, tu es brave. Je te laisserai un paquet de poires sur la table pour la petite. Tu les prendras, qué? C'est des saint-Jean, elles sont douces comme le miel.

— Pour Clarisse, j'accepte. Mais je serais venu sans ça, vous savez?

— J'en doute pas. Seulement, ta petite, d'avoir le même prénom que moi, je l'aime. Elle va bien?

— Ah, c'est une belle garçasse! Trois ans et elle m'escalade les genoux comme une excursionniste. Après, elle me met les pieds sur les épaules, elle s'attrape à mes cheveux pareil qu'à une touffe de bauque...

— Heureusement que tu as de quoi lui en fournir!

— Elle monte sur le rebord du fauteuil et elle tourne le bouton du poste qu'il est sur l'étagère. Vous vous croiriez pas qu'elle le fait marcher seule? Oh! Elle dit: « Papa, moi je me veux de la musique! » C'est une vraie peste. Elle commande les trois autres petits, sa mère et moi-même que j'ai quarante-six ans.

— Elle est magnifique, qué?

— Ça voui! On peut pas dire le contraire. Grasse comme un tourdre et des cuissettes de fer.

— Et ton collègue, là, c'est un de tes parents?

— Non, c'est un copain.

— Bonjour garçon. Mon beau, tu es frais comme une figue-fleur!

— Hé, c'est jeune, qu'est-ce que vous voulez?

— Il est de La Côste? Je le reconnais pas.

— Il s'était placé dans une ferme en Algérie, mais, ça lui plaisait guère. C'est le fils des Simonin.

10

— Des Simonin? De l'Alfred Simonin? De...

— Oui. Y s'appelle Hugues, vous savez bien? Il est brave. Y préfère apprendre le travail de l'eau.

— C'est pas une mauvaise chose, mais c'est pénible.

— Oh, il est costaud!

— Je vois. Hé ben au revoir, Fonse et tous les deux.

— Vous pouvez lui dire Hugues? Y serait votre petit-fils.

— Oui. Au revoir.

— Au revoir, madame Roman.

— Au revoir, madame.

— Il est beaucoup timide, Hugues, vous savez?

— Merci pour l'eau, Fonse. A un de ces jours. »

*

« C'est l'Hugues Simonin... C'est le fils de l'Alfred. Le hasard a voulu cette chose qu'il vienne avec Fonse, passer par ma campagne. Ça m'a fait taper le cœur comme une batteuse de moissons, quand son nom a été prononcé. Ah, il ne faut plus que j'y pense. Il est bien, ce garçon. Ses regards font de la lumière. Dans le temps, c'est comme ça que je les aimais : Ni trop grands ni petits, ni gros, ni avec de ces muscles qui font des nœuds sur leurs bras, mais solides et gracieux à la fois, avec ce genre de tête penchée, avec un sourire un peu craintif, les yeux bleus et les dents propres. C'est pareil que je l'ai vu la première fois, mon Cyprien, du temps que son père était entrepreneur maçon et lui, pas encore facteur.

11

Y servait les ouvriers : manœuvre quoi... Il avait pas plus de dix-huit ans. Après il est rentré dans les postes. Moi y me plaisent, les maçons : y te font pas les torchons sales, ils ont que du blanc sur eux, des petits bouts de ciment dans les cheveux et leurs bourgerons y sont faciles à laver. Mais Cyprien, six mois plus tard il est allé habiter chez son oncle qui était receveur des PTT à Pertuis et y l'a aidé et il a fait ce qu'y fallait pour devenir facteur. Et puis un jour, son père qui était seul parce que sa mère était morte, il l'a fait monter à La Côste et nous nous sommes retrouvés.

Je m'y vois encore comme si c'était hier. Je descendais la rue du Bâou, qu'elle est raide pareil un torrent de la montagne, et nue sous mon sarrau de toile bleue je courais, folle que j'étais dans ma belle jeunesse et je suis venue me flanquer en plein sur sa poitrine. Son képi de l'uniforme il a volé en l'air et ses boutons dorés y se sont marqués dans mes seins tout sensibles.

— O, il a grogné, qu'est-ce que c'est celle-là ? C'est toi, Clarisse Barges ? Mais tu as bien grandi, ma fille ? Tu sembles une femme !

Femme je l'étais sinon de fait, du moins de désir, parce que mes seize ans, déjà ils avaient regardé les hommes. Alors il m'a repoussé de lui pour mieux me voir et y m'a dit encore d'une voix de gorge :

— Tu as des yeux à pas te faire religieuse.

— J'espère bien ! j'ai dit.

Et je suis partie en descambalant ma rue et toute seule je riais de plaisir parce que j'avais senti sa chaleur et compris que je lui plaisais. Et lui aussi y me plaisait.

12

Le lendemain, il passe devant ma maison et j'étais d'hasard à ma fenêtre à regarder fleurir le géranium : « D'hasard » je dis, mais c'est pas vrai, je le guettais et même, penchée sur le rebord des carreaux vernis jaunes, j'avais défait les deux premiers boutons de mon corsage pour mettre ma petite poitrine à l'étalage et la faire valoir. Ah, pauvres femmes, c'est comme ça que sans le savoir on organise son malheur !

Un moment se passe, ma mère me crie de la chambre où elle retapait le lit :

— Tu en as pas assez de cette fenêtre, non ? Que tu te tiens comme les poufiasses de Marseille, au quartier du Panier ?

Je réponds pas.

— Tu entends, Clarisse ? elle dit encore.

A cette seconde je le vois arriver. Je réplique :

— Laisse-moi, je guette le facteur, que j'attends une carte de Marceline qu'elle est à Aix.

— Marceline, elle est en voyage de noces, ma mère dit et elle a autre chose à penser que de t'écrire !

— On sait jamais, je dis.

Et bon ! Juste il est devant la maison et je l'appelle :

— Bonjour monsieur Cyprien ! Vous avez rien pour nous ?

— J'ai toujours quelque chose pour les belles petites comme toi, il réplique.

Ma mère entend parler, elle s'amène près de moi. Alors voilà qu'il se met à s'adresser à elle d'un air sérieux :

— Madame Barges, y faut que je vienne vous voir,

13

j'ai de l'important à vous communiquer. Comme vous diriez une lettre chargée.

— Ah oui ? demande ma mère toute espéloufie.

— Oui. Je peux venir quand ?

— A votre idée, dit ma mère.

— Ce soir, après la levée des cinq heures ?

— Entendu, elle dit ma mère.

Il continue de descendre la rue. Moi, je m'aperçois que, tellement j'étais énervée, j'avais arraché et fripé dans mes doigts la grosse fleur rouge du géranium.

— Rentre à présent, me commande ma mère et boutonne ton corsage. Viens laver le napperon brodé que nous en aurons besoin pour y servir le vin-de-noix.

— Tu veux servir le vin-de-noix au facteur ? je demande.

— Oui, dit encore ma mère. J'ai mon idée et je ne crois pas de me tromper. Allez allez ! File !

C'est comme ça que j'ai été demandée en mariage le même jour, par Cyprien des Balandres et que juste après le temps de préparer les robes et les papiers, nous avons fait notre noce.

Ah, d'abord y a eu les fiançailles, ça bien sûr ! Et des belles. Mais de ce moment j'aurais dû comprendre ce qu'il était, ce Cyprien. Quel salaud de la grande espèce ! Mais je savais rien de rien, vous pensez ? Et quand y me bousculait, je pouvais que me mettre en paquet comme la petite poule naine sous le coq.

Je dois l'avouer, c'est ce coq, le nôtre, qui m'a appris l'amour. Ma mère avait beau me défendre : « Ne sois pas tout le temps à le regarder faire », je désobéissais. Je me

14

cachais derrière la chèvre et je guettais le moment qu'il montait sur la poule en battant des ailes et en l'accrochant par les plumes du cou. Et je me disais en moi : « Eh ben ma pauvre, c'est pas doux l'amour des hommes si c'est comme ça! » J'avais peur et quand même j'avais envie d'être écrasée de cette façon. Avec Cyprien j'ai réussi. Quel homme quand j'y pense! Y m'a vite appris l'histoire, je vous assure. Et ça a duré près de trois ans que je me trouvais contente avec lui et que je regrettais qu'y parte le matin à six heures pour aller à la gare chercher le sac du premier courrier. Les PTT y avaient acheté un vélo, mais qu'est-ce que tu veux te servir d'un vélo dans nos chemins, que ça monte et que ça descend comme les montagnes russes? Quand y rentrait alors, le soir, il allait un peu faire la belote avec le boulanger Mastre, le maréchal-ferrant Pessegueux, Teisseire et Simonin, le pauvre Simonin... Que celui-là, mon Dieu, y vaut mieux que j'y pense pas, sinon y me prend une tremblote à croire que je vais m'évanouir. Simonin, y a vingt ans qu'il est mort. Sa femme, sa fille, tous sont morts, sauf ce dernier garçon. Y a plus que moi pour me souvenir de lui. Et tout le reste de ma vie a été esquinté par ce souvenir.

Qu'est-ce que je me disais? Les fiançailles... Ah oui, les fiançailles! C'est là que j'ai vite connu celui que j'avais pris. On combine de choisir le jour, les plats du dîner, l'endroit où le faire, chez tante Marthe qu'elle avait un grand appartement pour elle toute seule. La mère Roman avait annoncé qu'elle fournirait les plats de tomates et d'aubergines farcies pour tout le monde, que tante a remarqué : « Elle se fera pas mal, ta belle-mère, pour la dépense, que ça, elle le trouve tout dans son jardin ! » Moi j'ai dit : « O, mais elle mettra des champignons et des truffes et des petits bouts de veau dans la sauce. — Quand même, a répliqué tante, nous autres on présente quatre gros poulets et le hors-d'œuvre et le gâteau du dessert, c'est autre chose. — Elle portera les fruits, j'ai dit : des pêches et du raisin — Voui ! Voui ! tante Marthe elle répétait encore, tout ça de son jardin que ça y coûte rien. Reconnais-le que c'est plutôt mesquinou ? » Moi, au fond je m'en fichais. J'étais toute chaude de ce que Cyprien me serrait contre lui dans les coins du couloir sombre de ma maison et je pensais pas plus aux aubergines qu'aux poulets. Le jour venu, (c'était un trois septembre) ma mère m'avait fait faire une robe bleu de roi, avec la ceinture, les boutons et le petit col rose, c'était original. Alors, ce jour venu, habillée de cette robe, avec des souliers vernis noir et mes cheveux qui frisaient seuls, bien rangés en bouclettes, vous pouvez croire que j'étais charmante. Et alors, Cyprien est venu me chercher vers les midi et il a annoncé : « Je la mène à ma mère et puis nous reviendrons ensemble pour le dîner. » Seulement, c'était un menteur fieffé parce que sa mère, elle se trouvait pas du tout à sa maison, mais chez le boulanger Mastre, qu'elle y avait porté les trois plats de farci à cuire dans son four et qu'elle les surveillait. Alors chez elle, y avait personne, le père étant allé chercher l'oncle de Pertuis avec son boghei. Et moi que je savais rien de tout ça, sans malice, je suis entrée dans la maison en disant bonjour. Pauvre de moi, j'ai pas eu le temps de placer une autre parole! Y avait un vieux canapé vert que je le vois encore et Cyprien m'a poussée dessus et sur moi il a été couché avec tout ce corps dur et brûlant qu'il m'avait déjà fait sentir et c'est comme ça que je suis devenue femme, tout en moulon et froissée dans ma belle robe, pareil que la poule naine sous le coq et les cheveux tirés de tous les côtés et la bouche écrasée sur les dents. J'avais envie de pleurer, la nature me cuisait comme du feu, j'avais peur que ma mère le sache et qu'elle me frappe, mais à quoi ça aurait servi? C'était fait c'était fait. Je dis rien que ça : « Tu me marieras quand même, Cyprien? — Bien sûr, il a répondu, ça change rien, au contraire. » Un baiser plus sage qu'y me fait après, ça me rassure et y me recommande : « Range bien tes robes et ne raconte rien à personne. Ça m'a bien plu avec toi, mais tu as pas les seins si gros que je croyais... » Nous sommes arrivés presque une heure en retard au dîner, tout le monde a crié après nous. Cyprien a dit : « On est allé tous les deux à l'église, voir nos publications. » Enfin on a mangé, j'avais une faim terrible, l'oncle de Pertuis y se moquait : « L'amour, à celle-là, au moins ça lui coupe pas l'appétit! » Les cuisses me faisaient mal, mais je peux pas dire que je regrettais, non, ça serait pas vrai.

Trois semaines plus tard, il y a eu le mariage. Entre-temps, Cyprien m'obligeait d'aller à sa rencontre, le soir, dans le Bois des machouettes, qu'il est si ombragé qu'en plein jour on y est comme dans la nuit et là, contre une roche, sur la terre, n'importe où... Sainte mère de Dieu, quelle fougue! Quand on a été mariés, ça a encore duré trois ans, cette folie qu'il avait de moi. Pourtant je sais pas si j'ai jamais été belle, maigre avec des tout petits seins, noire de peau comme une prune, avec juste, de joli, mes grosses lèvres et mes cheveux qui frisent, mais y faut croire que je lui plaisais, parce que lui, il était toujours en train.

*

Un jour, je me suis aperçue qu'y se calmait : « Tè, je me dis, y a au moins deux semaines que non ? » C'est vrai que j'étais encore enceinte. Mon premier petit : Jeannot, il avait si vite été suivi du second, que tante Marthe me le gardait. J'avais rien que François qui allait sur ses dix-huit mois, j'attendais ma Cyprienne et j'étais pas toujours bien portante. Je préférais que mon mari me laisse tranquille les nuits et après, je me suis rendu compte que c'était arrivé. Tante Marthe a toujours gardé Jeannot qui s'était attaché à elle ; François s'est mis en apprentissage chez l'oncle de Pertuis ; j'ai plus eu que Cyprienne qu'elle est allée se marier au diable, du côté de Paris. Mais de ce moment, nous étions pas encore dans ces séparations et j'avais tout le travail des femmes dans leur ménage : laver, repasser, raccommoder, faire des neuves affaires avec les vieilles et tirer vingt sous de dix-neuf.

Mon mari se conduisait normalement. Mon Dieu, je ne dis pas que le samedi soir y tenait pas tout le couloir quand y rentrait, mais quel homme fait pas ça, sauf chez les gros monsieurs, qui fréquentent les bars riches ? Je

18

l'aidais à se coucher, c'était fini et j'étais bien contente quand y m'embêtait pas avec ses sentiments. Et les années ont passé comme ça, comme une lettre à la poste qu'à peine si tu l'as lâchée elle file par l'ouverture. Puis la chose est arrivée, la chose terrible, ignorée de tous sauf de moi qui y pensais tout le temps. La nuit, ça me faisait mettre les draps en boule tellement je me retournais. A la fin, je me suis calmée... Par force. Qu'est-ce que vous voulez faire quand tu peux rien changer à rien?

Ah, y faudrait que je regarde un peu mon coulis de pommes d'amour. Aujourd'hui je me suis mise à cuire un coulis de pommes d'amour parce qu'y faut que je les use. Le gros coup de soleil m'a touché les plants qui prennent la maladie et à ces tomates, y leur vient des taches noires qui pourrissent le dedans. Alors j'en ai cueilli tout ce qui était mûr et je l'ai mis avec un oignon, de l'ail, une feuille de laurier, un bout de romarin, un brin de persil dans une bonne cuillerée d'huile d'olive. A midi je me glisserai dessus un œuf de ma poule qui me les fait marrons. Ça et un fromageon de chèvre, j'aurai dîné pour tout le jour. Quand puis on vient vieux, l'appétit diminue, tandis que jeune j'aurais dévoré le repas du diable!

Ces moments de mon enfance chez mes parents, c'est drôle comme d'abord je les ai oubliés... Quand j'ai été veuve, y me sont revenus plus tard. Ma mère elle faisait la couturière et mon père je l'ai jamais connu. Ma mère m'expliquait qu'il était mort dans le pays qu'elle habitait avant, du côté de Valence, mais sur les papiers j'ai vu qu'ils avaient jamais été mariés. Cyprien disait que ça lui était égal. Quand j'étais nistone j'étais beaucoup tenue serrée, ma mère me grondait et elle répépillait à longueur des jours : « Tu comprends, je veux pas qu'y t'arrive ce qui m'est arrivé. » Pourtant je l'ai manqué de guère, parce que les fiançailles c'est pas le mariage. Enfin on l'a pas su. Ça vaut mieux, la langue des gens a vite fait de vous mépriser.

*

Qui c'est qui vient de passer dans le bas du vallon ? Y me semble d'avoir vu bouger des têtes au ras de mes pois chiches ? Ah oui, je me suis pas trompée ! Les voilà qui sortent de dessous la ramure d'olivier. C'est les deux filles Teisseire qui vont à leur bien de La Sousta. Une, elle est pas mal, mais l'autre elle semble un échalas pour les haricots, c'est pas demain qu'elle trouvera un mari. Surtout qu'elle a plus que franchi les trente ans. Leur grand-père c'était un collègue de Cyprien et du marchand de paniers Simonin. Un bon collègue même. Il est mort y a trois ans sans jamais avoir rien appris de la chose. Heureusement ! Personne, jamais, a rien appris de la chose. Y a que moi. Et Cyprien. Je suis toute seule à présent pour porter ce gros secret dans ma cervelle. Tu vois de ces énormes bourdons noirs qui se planquent dans une pêche, y se creusent un trou, y s'y enfoncent, tu les tuerais qu'y bougeraient pas, puis d'un coup y se remuent, y grattent avec leurs pattes pointues comme des aiguilles, y brillent de toute leur écorce, y font un bruit de tonnerre, y se tournent, y sont comme fous, y mangent le cœur de la pêche avec ces espèces de cornes qui sont leurs dents et qui coupent comme un tranchant de couteau. Ce souvenir, pour moi, c'est pareil : Gros, noir, immobile, y dort pendant des semaines, des saisons entières. D'un coup y se réveille, y me gratte dans la cervelle, y m'arrache le cœur. Oh, c'est pénible de supporter! Mais ça fait rien, j'ai toujours gardé le silence. Jamais j'ai raconté mon mal à personne et jamais je le raconterai, même pour m'en guérir si c'était possible. Ça l'est pas. Je passerais le siècle que ce serait toujours une bête qui me ronge. J'ai quatre-vingt-cinq années sur le dos, ça commence à compter, quand même que j'en aie pas l'air et quoique ma figure ressemble à une pomme pas encore détachée du pécout. Oui, les gens sont drôles avec leur idée de me dire : « Vaï vaï, madame Roman, vous viendrez centenaire! »

Centenaire, mes pauvres amis? J'y tiens pas telle-ment, vous savez! La vie, après tout c'est toujours un peu la même chose et c'est long je trouve, moi, quand les autres trouvent que c'est court.

J'ai eu le temps de toute me la ranger dans la tête, mon existence, depuis que je l'ai commencée. Le premier moment que je me souviens, je revenais de la maternelle et j'ai demandé à ma mère :

— J'ai point de papa?

Parce que les autres petites : Louise Teisseire, Justine Pessegueux, elles m'avaient interrogée : « Pourquoi tu as point de papa? » Alors moi, c'est pour ça que je l'ai demandé comme ça, d'un coup.

21

— Ton papa, ma mère a répliqué, malheureusement il a été enterré que tu étais pas née.

— Où ? j'ai dit.

— A Valence, dans le Nord, elle a dit ma mère. Et puis n'en parle plus que ça me fait peine.

— Mais c'est les petites de l'école, toujours elles me lancent la question, j'ai dit.

— Tu as que de leur répondre ça et que d'abord ça les regarde pas et que tu as ta maman qu'elle t'élève à l'honneur du monde et que ça te suffit.

C'est vrai que ma mère elle me privait de rien et que j'étais pas malheureuse. Le soir je m'endormais dans le bruit de sa machine à coudre parce qu'y avait toujours du travail en retard. Des fois, quand le sommeil me clouait pas les paupières, ma mère me disait : « Tiens, défaufile-moi cet ourlet. » Ça m'amusait de l'aider, puis j'aimais de la voir couper dans les tissus avec ses grands ciseaux brillants que ça faisait un bruit doux comme la pluie de septembre. Je mendiais les morceaux qui tombaient de la table pour habiller ma poupée Rosita-Noëlie, mais ma mère me criait :

— Laisse ! Laisse, que je les utilise !

Une fois, elle a fait toutes les robes de mariage de Clémence Philippi, la fille du percepteur. O, j'en ai eu un de ces plaisirs, moi ! Celle de la mère, elle était en soie noire, luisante et au col, des fils d'or qui traversaient l'étoffe, puis y avait un grand jabot de dentelle qui tombait en flonflons, bordés d'un feston doré. La sœur de Clémence, qu'à seize ans elle pesait déjà soixante et quinze kilos, ma mère s'était débrouillée de l'amincir avec une espèce de taffetas marron, rayé de velours dans la longueur et garni d'un petit bouquet de roses à l'épaule, pour de dire de faire gai. Les autres, je me souviens pas très bien. Mais la mariée, Clémence, je pourrais encore à présent expliquer point par point comme elle était magnifique dans son satin blanc. Ma mère lui avait taillé une forme princesse que ça lui collait au corps, pareil qu'une peau, des épaules jusqu'aux hanches. Après, ça s'élargissait en forme de cloche, en allant vers la traîne qui avait trois mètres. Là-dessus y avait une tunique en filet de soie avec une perle de temps en temps et des autres perles mélangées aux fleurs d'oranger sur le corsage et à la ceinture. Et figurez-vous que ma mère avait fermé le dos tout le long par des agrafes anglaises, qu'y en avait vingt et une! Les gens rigolaient :

— Hé ben, le novi, ce soir il aura du travail!

J'ai demandé à ma mère :

— Pourquoi tu y en as tant mis? C'est guère commode.

— J'aurais voulu y en mettre mille si j'avais pu, pour l'embêter, elle m'a répondu. Les hommes c'est des cochons!

Moi je riais. J'avais tout juste mes treize ans. Le soir, quand la robe a été finie, ma mère l'a étalée sur le canapé de la salle à manger où elle travaillait, puis elle est allée se coucher en disant :

— Je suis épuisée.

Alors, quand elle a été endormie, moi, levée et sans lumière, je suis allée toute seule encore voir la robe. La lune passait par le fenestron et jetait sa lumière blanche sur le beau satin blanc. J'ai relevé tout le paquet de dessus le canapé. Il était lourd comme un trésor d'église. Je l'ai tenu dans mes mains, je me le suis collé contre le corps. Du cou, y me pesait sur les pieds et je regardais d'en haut toute cette merveille que ça me donnait le vertige. Puis y m'a pris une peur terrible, je l'ai remis en place et dans mon lit après, j'ai pleuré comme une Madeleine de ce que, cette robe de princesse, elle était pas pour moi.

Quand on est jeune on est un peu exagéré : on a trop de passion pour tout. Heureusement qu'à la fin ça vous quitte. Autrement on comprend que ça deviendrait fatigant. C'est bon quand on est tout neuf dans la fraîcheur de l'existence comme ces hommes qui sont passés tout à l'heure.

Il est brave, cet Alphonse Giraud que tout le monde y dit « Fonse l'aïguadier », parce que c'est lui qui nous distribue l'eau. Sa petite, je l'ai vue dimanche, une minute où toute changée de propre, elle tripotait à la fontaine de la place et sa mère y a claqué le derrière. Et elle criait! C'est pas la voix qui lui manque. Ni le derrière. Elle vous a de ces fesses comme du marbre rose et la main de sa mère y avait marqué les cinq doigts en rouge. Le sang y est à fleur, sous la peau de ces petits. C'est pas comme moi où il s'est retiré si profond qu'on en voit plus la couleur. Ou seulement alors, dans une grosse veine bleue en racine de romarin qui m'a poussé du poignet vers les doigts et le jour où y séchera, ce romarin, ce sera fini pour Clarisse Roman... Clarisse, elle s'appelle aussi, la petite de Fonse. Combien y a d'années que plus personne m'a appelée Clarisse? Depuis que Cyprien est mort. Mais y avait déjà trente ans qu'il me disait « Maman », pareil que les enfants. Y a rien que quand on est jeune qu'on a un prénom. Et même d'abord, on l'a pas. On est « Bébé » ou « la petite »; plus grande, à l'école, j'ai été « Clarisse Barges, » puis « Clarisse Roman », puis « la mère », puis « la grand-mère », puis plus rien puisqu'ils sont tous partis, qu'ils sont tous morts. Maintenant je suis madame Roman pour tout le monde. Je m'appelle madame Roman : Pas plus.

Quand on prend de l'âge on perd son prénom, on perd ses dents, on perd ses yeux, on perd le brillant du visage, on perd le sang des lèvres, tout ce qui vous rendait belle à vingt ans. Et les gens alors, qui parlent de vous, y disent : « La vieille », pas plus. Et il faut accepter l'humiliation ou aller au cimetière. Et ce sera bientôt, parce que j'ai quatre-vingt-cinq ans et que c'est un âge. Y faut passer par là et par la porte. La porte qui se rouvre jamais plus.

Mon mari, ses collègues l'appelaient Cyprien des Balandres. Et c'était bien ridicule parce que ce n'était pas du tout son nom. Le vrai, de son baptême : « Cyprien Roman », voilà celui que son père et sa mère lui avaient laissé. Mais dans ces villages de montagne où y trouvent guère de distraction, les gens ont des drôles d'idées. Quand, du temps que j'étais jeunette et curieuse, je lui demandais qu'est-ce que ça voulait signifier : « Des Balandres »? il riait et changeait sa conversation. Plus tard j'ai compris que c'était un genre de plaisanterie sur ce qui

25

le faisait homme et je n'en ai jamais plus parlé. Moi, on me disait « Madame Roman » gros comme le bras et avec tout le respect que dans ma vie je me le suis mérité.

A présent, depuis l'époque où je suis été veuve, je m'arrange avec la pension de facteur de Cyprien et le petit jardin autour de mon cabanon, que les arbres et les légumes y poussent bien. J'ai six poules, un coq, un vieux canard que ça me ferait peine de le tuer parce qu'y me mange les limaces. J'avais des pigeons avant, des blancs, des jolis, mais ils allaient sur les terres des autres, saccager les semis, alors je les ai enfermés et de colère, y se sont laissés mourir. Tous les matins je pars de ma maison d'en ville... O, c'est qu'une ville de campagne, avec une grosse église, une colline derrière avec des pins, des chênes et des argeïras, et devant, une rivière qui tout l'été reste sans eau et puis au printemps déborde partout à cause des neiges des Alpes. Oui. Alors je pars de ma maison et je descends à mon jardin. Je me tire un poireau, deux pommes de terre, je prends un oignon, une gousse d'ail à ma réserve, je me fais un genre de soupette, des fois j'ajoute un jaune d'œuf; puis je me cueille trois abricots, ou une pêche, selon le moment et je mange devant ma porte, l'assiette sur les genoux, ou des fois assise sous le poirier, ou devant ma table qu'elle est rien qu'un morceau de bois cloué sur un vieux tronc d'amandier coupé. Je reste là, je regarde, je réfléchis, y a beaucoup à réfléchir dans un jardin. Je vois marcher des escarabées qui traînent des choses plus gros qu'elles, puis des fourmis en procession, des abeilles, des oiseaux, une grosse couleuvre toute vernie que je la rencontre pas souvent et puis aussi quelques gens d'en haut, parce qu'y a une servitude de passage dans mon jardin et qu'y faut bien la supporter.

Puis, le soir tombant, je remonte chez moi. Voilà ma vie à présent. Y en a qui la trouverait monotone. Moi non. Surtout quand je me prends à me repasser tous mes souvenirs, alors ça barde dans mon cerveau! Mais j'aime guère, je préfère les jeter loin comme des poires pourries. Seulement, des fois on croirait qu'elles ont des petites pattes pour les ramener en avant, des petites griffes qui me fouillent la tête et qui y rentrent, pareils, comme je l'ai déjà pensé, que les bourdons ou les guêpes dans le milieu de ces fruits et qui les gâtent en mangeant tout le bon. Alors ça me fait mal et le docteur me l'a dit : « A votre âge il ne vous faut plus d'émotions. »

Il est beau, ce Hugues Simonin. Je pouvais pas le reconnaître puisqu'ils ont tous quitté La Côste après l'histoire. Il était bien petit quand son père est mort. Seulement, petit, moi je le voyais guère... O mon Dieu je veux plus me remettre à penser à tout ça... Mais comment faire quand ça vient, quand ça vous entoure, quand ça vous tourne dans le crâne et qu'on est là, immobile à pas pouvoir s'en défendre! Je me parle des guêpes, je me parle des bourdons, je me parle des poires pourries, c'est pire. C'est pareil que le gros nid de ces frelons qu'un jour j'en ai trouvé un dans la vieille réserve, parce qu'ils étaient entrés par la vitre cassée et qu'ils avaient bâti leur maison entre le mur et une jarre et qu'il a fallu les arroser de pétrole et les enflammer pour s'en débarrasser. Voilà, y faut jamais casser une vitre. Jamais. Autrement après on est plus protégé contre rien. La pluie, le vent, les éclairs, les feuilles sèches, les frelons, tout entre. Et les rainettes vertes et les crapauds et les vipères, parfois... Et la nuit, une machouette à gros yeux de fer qui crie la mort. Alors, tout ça vous pénètre dans la tête, dans le cœur, dans le ventre et ça vous dévore peu à peu ce que vous pouviez avoir de bon, pour tout le reste de votre existence... O Cyprien, moi je t'aimais! Tu avais l'air si brave quand tu étais manœuvre-maçon et même facteur, avec le képi un peu posé de côté pour plaire aux filles. Moi je t'aimais, Cyprien. Je t'ai aimé toute ma vie malgré le reste! O Cyprien, pourquoi tu t'es laissé aller à une chose pareille? Cyprien, pourquoi tu as fait ça? »

« Si, quand j'étais petite, les gens ne m'avaient pas tant méprisée, ma vie se serait peut-être rangée d'une autre manière et j'aurais pas fait la grosse bêtise de m'attacher à ce premier garçon qui a porté son attention sur moi. Seulement, dès que je suis devenue assez grandette pour comprendre les choses et que j'ai plus posé de questions, j'ai commencé de souffrir. Le hasard m'a mené à fréquenter une fille qui avait habité Valence. Et alors, un jour elle m'a dit que mon père il était pas du tout mort, que c'était un batelier du Rhône qui transportait des barriques sur son train de radeaux et qu'un soir où y s'était arrêté sur la rive pour boire un coup dans le café où ma mère faisait du raccommodage, après le dîner, il l'avait amenée dans sa cabine et que c'était de là que j'étais née sans qu'y ait eu de mariage à la mairie. C'est pour ça que ma mère elle détestait Valence et qu'elle était venue à La Côste après s'être placée à Avignon le temps de sa grossesse, puis être retournée à Valence avec moi sur les bras, dans l'espoir de me mettre dans ceux de mon père et de me faire légaliser.

Mais pensez-vous ? Celui-là que c'était un homme d'eau, coureur au long des rives toute l'année et de-ci de-là y abandonnant sa semence comme la bourre du chardon, il était déjà loin y paraît, du côté des canaux de Saint-Omer! Alors, la pauvre mesquine, elle risquait pas de le retrouver et de me faire donner un nom qui m'aurait permis de lever la tête. Heureusement qu'elle savait tenir une aiguille. Ça l'a sauvée de faire la pute pour me nourrir. Et elle est restée tranquille après, tout le reste de sa vie, sauf que ça lui a donné un caractère comme une épine et que je la voyais jamais sourire. Les garçons, elle pouvait pas supporter de me sentir avec... Aller danser? N'en parlons pas. Elle pimparait les autres filles pour le bal de la Saint-Eloi ou de la Saint-Jean, mais moi je devais rester assise dans la maison à la regarder coudre. Des fois où la révolte me montait, je disais :

— Mais enfin, mère, pourquoi moi non?

Et elle me répondait d'un air de sauvage :

— Toi non, parce que je veux pas que ça t'arrive! Tu as compris? Les autres je m'en fous. Au contraire! Tant mieux si elles tombent. Mais pas toi. Et si tu bouges, tu auras des calottes.

Je lui voyais un air si méchant que je me taisais, mais je la détestais.

Après, quand elle a été malade, avant sa mort, y lui a pris une espèce de délire où elle parlait, les yeux ouverts et doux comme jamais je les lui avais vus. Elle parlait comme pour une prière, même elle disait :

« Sainte Marie mère de Dieu, protégez-nous qui avons recours à vous, » et sans s'arrêter elle continuait : « José, pourquoi tu es jamais revenu vers chez nous par cette route du Rhône que l'eau t'en a emporté au diable?

Pourtant, cette eau, un moment elle est bien allée se perdre dans la mer et toi tu l'as quittée pour aller sur une autre eau... dans des pays qui sont pas les nôtres et où il pleut fin fin pendant des journées... Et alors, de cette époque tu y pensais pas à moi, José ? Que tu m'as serrée tellement fort contre toi et que tu m'as dit tant de jolies choses, quand tu avais l'envie de moi qui te faisais trembler ? Pourquoi tu es plus revenu, José ? Tu aurais connu ta fille qu'elle est belle et que maintenant elle est mariée à l'honneur du monde et qu'elle a son Jeannot et son François et qu'elle en attend un autre et que nous aurions fait une si grande tablée de plaisir tous ensemble... »

Moi, j'écoutais parler cette voix qu'on aurait cru venir d'un monde où y aurait que des anges, tellement elle était comme pleine de sucre. Et je comprenais que ma mère avait beaucoup souffert et je la regardais qui restait les yeux grands ouverts et sa bouche ouverte aussi, d'où la salive coulait par le coin. Et un soir elle a plus parlé. C'est qu'elle était morte, c'est comme ça que je l'ai compris. Et quand elle a été sous la terre de La Côste, j'ai dit alors à Cyprien :

— Tu vas me garder un peu le petit, ou tu le mèneras chez tante Marthe, comme tu veux, mais moi y faut que j'aille à Valence.

— A Valence ? il a dit et qu'est-ce que tu veux faire dans ce pays qu'il est en haut de la ligne du chemin de fer ?

— Je veux aller au pays de ma mère. Je veux savoir les choses.

— Quelles choses?

— Si le père que j'y ai eu, par hasard il y serait pas revenu et je veux lui dire qu'elle est morte.

— Et ça te servira à quoi?

— Ça me servira que je serai tranquille. Qu'elle est morte par sa faute, j'y dirai. Et j'y cracherai à la figure!

— Tu es toujours exagérée, il a dit Cyprien. Elle a mis plus de dix-neuf ans à en mourir, ta mère! Et entre-temps, Pessegueux, on raconte qu'il allait lui rendre des visites.

— C'est pas vrai! j'ai crié. C'est pas vrai! Je t'autorise pas de faire des tripotages sur sa mémoire.

— Tu peux pas empêcher les gens de parler...

— De toi aussi, ils parlent, alors j'ai dit.

— De moi?

— Oui! De toi! Que tu restes chez les Bonnieux plus longtemps que ce qu'y faudrait, quand tu as fini ta tournée.

— Hé, Bonnieux c'est mon copain d'enfance tu le sais bien? Et je m'amuse avec sa petite Ninette qui est rigolote comme tout!

— Une petite de six mois, je me demande qu'est-ce que tu peux t'amuser avec? Et notre François, y t'amuse pas?

— Pas tant que cette nistone, il disait.

— Ah je vois qu'y faut que je te fasse une fille!

— Peut-être c'est ça. Il disait.

Mais quand j'ai eu Cyprienne, cette Ninette il a continué d'aller la cariner et je me serais crue bien bête d'être jalouse.

32

Quand même, j'ai tenu à mon idée et je suis montée à Valence. Ce que je me souviens surtout, c'est du vent. Il est plus terrible là-haut que n'importe où. Tout de suite sortie de ce train qui était une vraie charrette, je suis allée au bord du Rhône, là où je savais que ma mère, dans sa jeunesse, avait travaillé. J'ai fait quatre cafés, parce qu'y en avait des nouveaux qui existaient pas de son temps et à la fin j'ai trouvé un vieux, tout tremblant des mains sur le dessus de sa canne qui, je la vois encore, était un bouledogue en ivoire. Et à ma question, il m'a répondu :

— Delphine Barges? Fifine? Sûr que je l'ai connue! D'abord, ma belle, y a que de te voir la figure pour reconnaître ta mère.

Puis il a ri et sa bouche, ça faisait un trou sans dents comme une caverne et il a dit :

— Mais toi tu es bien arrondie, qué?

J'ai répliqué :

— J'ai déjà deux enfants et j'en attends un troisième. J'habite La Côste dans les Basses-Alpes, avec mon mari qui est facteur des PTT. Cyprien Roman qu'y s'appelle, c'est un brave homme qui se tient bien à son travail et à sa maison, je ne suis pas malheureuse.

— Ah tant mieux, il a dit, ça me fait plaisir! Parce que ta mère moi je l'aimais bien. Tu as le temps de t'asseoir un peu à côté de moi? Mets-toi à ma droite parce que de l'oreille gauche j'entends guère. Tu as le temps?

— Oui, j'ai dit. Si j'ai fait le long voyage sur la ligne PLM c'est justement pour parler de ma mère, alors au contraire je suis bien contente de l'hasard de vous avoir trouvé. Alors, ma maman vous l'avez bien connue, à ce que je comprends ?

— Bien connue je te crois. Si elle avait voulu je l'aurais mariée, moi que je m'appelle Léon Jacquet et que j'avais un bon travail sur un dragueur du Rhône. Et je comprenais que je lui déplaisais pas. Puis un jour, il est passé un chaland qui transportait les barriques et qu'une avarie l'a forcé à rester à quai. Alors le type qui était dessus, il est descendu à terre, il est entré au café que ta mère y faisait le rapetassage du linge et il a commencé de lui placer son boniment. Il était beau je dis pas, mais la beauté ça se mange pas en salade, elle s'en est aperçue la pauvre, qu'y lui a promis de l'épouser et qu'après quelques lettres et le temps qui filait, elle est venue ronde comme tu es maintenant (mais toi tu es mariée). Et de ses nouvelles on en a plus reçu. Et puis on a appris qu'y naviguait plus haut, sur le canal de Saint-Omer. Alors, ta mère qu'elle était orpheline et qu'elle avait une petite maison, elle a tout vendu pour une poignée de figues et elle a quitté le pays...

Moi, je l'écoutais comme le bon Dieu. Et il a encore dit :

— Pauvre ! Elle avait une figure blanche et les yeux tout gonflés. Je lui ai proposé : « Ecoute, Fifine, moi j'ai toujours eu mon idée sur toi. La bêtise, tu en portes les conséquences, c'est pas une raison. Je te fais madame Jacquet si tu veux ? — Elle a dit : « Les gens se moqueront de toi. — Les gens je m'en fous, j'y ai répondu. Je raconterai que ton fruit c'est moi qui l'ai semé et ceux qui voudront pas se le croire, je les emmerde. — Non, elle a dit, c'est pas possible. — Et pourquoi? j'ai encore demandé. — Parce que, elle a dit, c'est José que j'ai aimé et parce que je l'aime encore. — Tu es une imbécile! j'y ai dit et elle a dit : — Voui, je suis peut-être une imbécile, mais c'est comme ça. » Le lendemain elle a quitté Valence. Et maintenant, toi qui es sa fille, tu viens m'annoncer qu'elle est morte?

— Oui elle est morte, j'ai continué. Seulement moi c'est de mon père que je voudrais savoir quelque chose. Mon père, il est jamais plus venu ici? Vous l'avez plus vu? Vous seriez bien gentil de me renseigner.

— Y mérite guère ton attention, tu sais? ce Léon Jacquet, y m'a répliqué. Et non plus ton estime. Mais oui, la vérité il est revenu et même il a demandé après ta mère. Y conduisait encore un chaland et dessus y avait une grosse femme et quatre petits qui l'échelaient. Voilà : Y s'était marié avec une autre. Il m'a posé la question et moi de la colère, (ô, moi aussi je m'étais marié bien sûr, on finit toujours par se marier!) de la colère j'y ai collé l'histoire que ta mère avait jamais plus pensé à lui et qu'elle était très heureuse.

— C'est pas vrai, j'ai coupé, ma mère, du chagrin elle en est morte. Cyprien y se moque qu'elle a mis dix-neuf ans pour en mourir. Ça fait rien, elle est morte de ça, moi je le sais.

— Tu dois avoir raison, a dit Léon Jacquet.

Après je me suis levée. Il m'a interrogée :

— Tu retournes à La Côste tout de suite?

— Oui, j'ai dit, ici j'ai plus rien à faire.

J'ai vu qu'il avait une hésitation. Avec sa canne y marquait des rayures dans le sable. Enfin il a repris :

— Ton père, tu aimerais de le voir ?

— Le voir ? j'ai dit.

— Oui. Le fabricant de barriques m'a juste annoncé qu'on doit lui charger après-demain pour Beaucaire. Si tu es encore là, tu le verras.

— Bon. J'attendrai, j'ai dit. Au moins je me passerai l'envie de mon enfance.

— Trouve-toi ici après-demain, vers les neuf heures le matin, tu le verras.

C'est ce que j'ai fait. Et je l'ai vu. Et il est entré au café où j'étais assise et y m'a regardé et nos yeux se sont entremêlés ! J'ai vu un homme grand, avec des épaules de porte cochère dans un tricot à raies bleues et blanches, un ventre plat, une taille serrée dans une ceinture de cuir sur un pantalon de treillis. Sa figure était large avec des yeux noirs qui sortaient, un nez d'importance, une grosse bouche que j'ai pensé : « Tè, c'est la mienne ! » Et des cheveux tout en bouclettes encore comme les miens. Il m'a regardée, il a bu son verre, il a jeté :

— Au revoir, à la prochaine !

Il est sorti. C'était lui, mon père : José. Je l'ai jamais plus revu, j'avais rien à lui dire et maintenant peut-être il est mort et quelque part y a dans le monde des enfants de lui qui ont dans les soixante et quinze ans et qui sont mes frères et mes sœurs de l'autre côté de la jambe, mais moi je m'en fiche bien.

Le lendemain je suis rentrée à La Côste, j'étais fatiguée à plus me tenir debout, ce voyage, l'émotion, je sais pas... Cyprien m'a demandé :

— Alors tu es contente ? Tu as fait à ton idée ?

J'ai dit :

— Oui.

— Et qu'est-ce que tu as su ?

— Rien, j'ai dit, il est mort.

— Y t'a pas laissé d'argent ?

— Non.

— Eh ben, tu as fait la dépense pour rien dans ce cas.

— C'était mon idée, j'ai dit.

— Je le sais. Tu es testarde comme l'âne du moulin.

Après ça nous en avons plus parlé.

*

Mais de ne pas parler des choses, ça veut pas dire que tu y penses pas. Les idées, quoi que tu fasses dans la journée, tu te les portes dans la tête et le soir tu peux pas les poser sur la table de nuit comme ta broche ou ta bague, pour t'en débarrasser et dormir tranquille. C'est pour ça que j'ai continué de réfléchir : Ma mère, elle était morte, c'est entendu ; mon père, c'était du pareil au même, mais ça m'intriguait de savoir comment, de là-haut, maman était venue à La Côste, s'installer couturière et faisant croire, naturellement, à tout le monde qu'elle était veuve. Moi je me pensais : « Si seulement je pouvais trouver quelqu'un, qui, de ce temps-là, l'ait connue, je saurais la marche des événements. » Et alors y me revient que mon mari m'avait dit que Pessegueux,

37

le maréchal-ferrant, soi-disant qu'y rendait des visites à ma mère... Oui, je me mets à calculer ça. Alors je passe un peu plus souvent par le boulevard des Tilleuls qu'il y a sa forge quand même ça m'allongeait plus le chemin que par la place de l'Orme et une fois je marque un petit temps d'arrêt et je dis :

— Bonjour, monsieur Pessegueux !

— Bonjour fillette ! y me répond, y te faudra guère attendre pour accoucher, je crois ?

— Hé non, je dis, un deux mois je serai délivrée.

— Tu dois te languir ? y me dit, y me semble que pour les femmes, ça doit être pénible un poids pareil ?

— Hé, que faire ? je dis encore.

Je soupire. J'ajoute :

— Ah, si seulement j'avais ma mère comme pour les deux autres !

Y s'arrête d'appuyer sur le gros soufflet et il dit :

— Oui, elle était brave, Delphine.

Je me prends l'audace et je continue :

— Vous y portiez beaucoup d'amitié, je sais.

— Oui, il dit. Si elle avait voulu je l'aurais aidée à t'élever. Mais elle m'a toujours refusé.

— Et vous, vous vous êtes pas marié ?

— Non, tu vois, il dit. Je reste avec mon frère et ma belle-sœur.

Il remet son soufflet en marche que ça fait un bruit terrible, puis y l'arrête. Je vois une chaise dépaillée qu'y laissait devant sa porte, je demande :

— Vous permettez, je m'assieds deux secondes, j'ai un peu mal au cœur.

— Repose-toi repose-toi, y dit, moi ni plus ni moins j'ai bientôt fini mon travail parce que, pour donner le rond parfait à cette roue, j'ai besoin d'aide. Alors je la laisse refroidir ce soir, parce que mon frère il est allé à Forcalquier.

Il s'appuie contre le mur et il me dit :

— Cette fois y te faudrait faire une fille, que tu as déjà deux garçons ?

— Hé oui, je réponds, mais on commande pas. On prend ce que le bon Dieu vous envoie.

— Le bon Dieu le bon Dieu... il ronchonne, des fois y ferait mieux de rien vous envoyer du tout ! Ta mère par exemple, si elle était pas restée veuve avec toi, elle m'aurait épousé.

Je marque un petit temps d'arrêt, puis je reprends d'un ton doux :

— Elle était pas veuve, ma mère, vous le savez bien ?

— Je croyais pas que tu le savais ? il répond.

— Je suis allée à Valence, je dis, j'ai vu mon père...

— Ce salaud ? il dit.

— Oui, ce salaud. Je l'ai vu. Il a quatre autres petits et il est large comme une armoire à glace.

— Tu lui as parlé ?

— Jamais de la vie. J'aurais voulu lui cracher à la figure, mais il est trop grand pour moi.

— Ta mère elle l'aimait, dit Pessegueux.

— Il a bien fallu, je dis, mais ça lui a esquinté sa vie.

— Les femmes quand ça s'obstine, dit Pessegueux, c'est des drôles d'animaux.

Je me lève :

— Je reviendrai vous voir si vous voulez, ça me plaît de parler d'elle.

— A moi aussi, il répond.

Et après je suis partie.

C'est quelques jours plus tard que, le voyant encore seul et cette fois, assis sur sa chaise dépaillée, je me suis encore arrêtée. Il m'a regardée d'un air tout naturel et y m'a dit :

— Prends la chaise, repose-toi.

— Merci, j'ai dit, je voudrais vous demander quelque chose.

— Et c'est quoi ?

— Ma mère, elle vous a pas fait des confidences ?

— Des confidences ? il a répété.

— Oui. Moi, elle me parlait jamais de ce temps où j'étais pas née et où elle est venue à La Côste et ça me plairait de savoir.

— Elle est venue, alors il a dit, parce qu'il fallait bien qu'elle aille quelque part. Elle avait un peu de sous de la vente de sa maison de Valence, elle a acheté ici, avec quatre punaises elle a cloué une carte sur sa porte où elle avait écrit : « Delphine Barges, couture. » Puis les clients sont arrivés. Moi j'ai été un des premiers à me faire rétrécir des pantalons parce que j'avais maigri et que ma belle-sœur sait guère coudre. Et tout de suite j'ai compris qu'elle me plairait beaucoup. Toi tu avais un an, je vous aurais volontiers prises toutes les deux. Toujours elle a refusé.

— Oui, mais j'insiste de demander, entre ce temps

40

de Valence et ce temps de La Côste, puisqu'y s'était passé un an, où elle était ? C'est ça que je voudrais savoir ?

— Hé ben, il me dit Pessegueux, voilà ce qu'elle m'a raconté quand on est devenus un peu plus amis : Partie de Valence elle a quitté le train à Avignon : « Je sais pas pourquoi, elle disait, j'étais folle, j'avais plus mon raisonnement. » Alors, à Avignon elle s'est placée, pour économiser son argent, puis un jour ça lui a pris de quitter Avignon pour Arles, puis pour Marseille. Mais Marseille, elle m'avouait que ça lui avait fait peur par son grand mouvement des rues et des cris de tout le monde. Alors, quelqu'un lui ayant dit qu'on demandait une fille pour aider à l'hospice des vieillards de Manse, au couvent des clarisses, elle y est allée...

— Tè, j'ai interrompu, « Clarisse »... Comme moi ?

— Oui, c'est pour ça qu'elle t'a fait baptiser Clarisse. Et c'est quand tu as été près de naître qu'elle est allée à Forcalquier, parce qu'elle pouvait pas accoucher au couvent et qu'une voisine de la maternité lui a parlé de La Côste et l'a invitée à y venir. Après elle y est restée. Voilà, c'est pas compliqué ! Elle travaillait bien, elle avait bonne main. Si elle m'avait voulu en mariage nous aurions pu aller d'accord ensemble.

Il avait l'air malheureux, cet homme et je le plaignais. Mais j'ai dit :

— Qu'est-ce que vous voulez, elle devait avoir ses raisons ? Et maintenant elle est morte.

— Hé oui..., il a dit, elle est morte à présent.

Je me suis levée, je suis partie et j'ai plus guère pris occasion de lui parler parce que quelques années plus tard, lui aussi il est mort. Et tout ce que je pouvais savoir de ma mère et de mon père, ça s'est borné là.

Après, j'ai eu Cyprienne. C'était une petite aussi grassette que celle des Bonnieux et mon mari quand même il a pas cessé d'être toujours fourré dans cette maison. Leur Ninette elle a grandi, on l'a envoyée chez sa tante d'Apt, elle s'y est mariée à dix-sept ans avec Alfred Simonin. Oui... avec Alfred Simonin et y sont revenus s'installer à La Côste et ils y ont ouvert la fabrique de paniers pour les fruits. C'est là qu'avec Cyprien, Pessegueux et Mastre, Simonin a pris l'habitude de faire une belote tous les soirs qu'il aurait mieux valu que jamais ça arrive... »

— Tè, mademoiselle Victoire, c'est vous? Hé bonjour, mademoiselle Julie! J'avais bien cru de vous voir passer tout à l'heure derrière mes oliviers. J'ai pensé : « Voilà les demoiselles Teisseire qui vont à La Sousta. » Et je me suis pas trompée, je crois? Vous êtes allées cueillir vos fruits?

— Hé voui! Que les merles nous mangent toutes les poires. Ils y font des trous, noirs comme leurs plumes. Tout juste si ensuite on peut les faire cuire.

— Les merles?

— Hé non! Les poires, je veux dire.

— Victoire, elle a toujours une manière de parler...

— O dis, toi, Julie, tu as pas passé le baccalauréat? C'est pas la peine de te payer ma tête.

— Ne vous disputez pas, vaï, que vous avez bien de la chance d'être deux... Que moi je suis toujours seule.

— Des fois, y vaut mieux être seule que mal accompagnée.

— Merci, Victoire! Tu es toujours aimable.

— Tu te le cherches. Alors, et vous madame Roman, ça va bien? Vous avez une mine de dix-huit ans.

— O, s'y vous plaît mademoiselle Victoire, vous moquez pas de moi!

— Non, c'est vrai, vous êtes fraîche comme une jeune.

— Ça m'empêche pas d'avoir la maladie de cœur qu'un de ces jours elle m'emporte.

— Hé, qu'est-ce que vous voulez, de gré de force il faut tous y aller! Mais vous, on voit que vous avez jamais eu des gros soucis dans l'existence. Votre mère, elle vous a laissé sa maison; votre mari, sa retraite; vos enfants y s'étaient pas mal mariés... Allez allez! Vous vous êtes jamais fait de mauvais sang. Tandis que nous autres nous avons que ce bien de La Sousta, tout mangé par les genêts et les cistes et que nous y usons nos reins à faire venir de quoi vendre quelques légumes et en avoir pour manger.

— Moi aussi je suis obligée de surveiller mes quatre plants d'aubergines et de courgettes. Et les pommes d'amour que les feuilles leur pendent pour un jour que tu arroses pas! Avec ça que nous sommes sur ce terrain au sec et que l'eau, nous l'avons que deux fois par semaine...

— L'aïguadier, y nous l'a mise tout à l'heure.

— Oui, y me l'a dit.

— Et j'ai bien rempli les rigues, mais ça boit comme un ivrogne.

43

— Dis plutôt que c'est moi que j'ai arrosé, Victoire !

— O écoute, Julie... Toi ou moi, pourvu que ça s'arrose...

— On croirait toujours qu'y a que toi qui travailles ?

— Hou ! Qué caractère de cochon ! Vous vous plaignez de pas avoir de sœur, madame Roman ? Eh ben, vous savez pas ce que c'est.

— Je sais que la solitude est pas plaisante.

— Mais enfin, vous voyez passer tout le monde ici ? Regardez un peu : Vous nous avez vues, vous avez vu l'aïguadier... Et ce garçon qui était avec lui, vous l'avez vu aussi ?

— Un beau garçon cet Hugues.

— Tè ? Là, tu as le sourire, qué, Julie ? Même que tu viennes vieille, les beaux garçons tu les remarques.

— J'ai jamais que cinq ans de plus que toi !

— Et moi que j'en ai trente de plus que vous autres, j'ai été forcée de le voir beau.

— C'est pas pour nous, ça, madame Roman !

— Hé non mes pauvres ! Notre temps de fleurir il est passé.

— C'est le fils de l'Alfred Simonin, pas vrai ?

— Oui.

— Sa mère était déjà charmante, la Ninette Bonnieux. C'est dommage, ce mauvais déshonneur qu'y a sur la famille.

— Oui, c'est un gros malheur !

— O dites, c'est un déshonneur ! S'il s'est détruit, cet Alfred, c'est parce qu'il avait commis le crime ?

— Hé oui, hé oui, je sais bien... Enfin, il a expié.

— Il a expié, bon! Mais en attendant, la petite, y l'a étranglée! Alors c'est la guillotine qu'y méritait. Et c'est encore trop doux la fin qu'il a faite. Et par là, il a bien avoué que c'était lui.

— Allez, vaï, ne parlez plus que de ces choses, que c'est affreux... Et pendant ce temps, mon coulis va brûler.

— Elles ont pas des taches, vos tomates?

— Oui oui, toutes les tomates elles sont comme ça cette année. Ce mois de juin, y brûle pareil qu'un mois d'août.

— Et y a des orages partout.

— Sauf ici. Y nous faudrait une pluie de huit jours.

— Y sent bon, votre coulis.

— Et encore, tiens, j'y ai pas mis le bouquet garni? Puisque vous partez, je vous accompagne jusqu'au laurier pour y prendre une feuille et aussi un peu de pèbre d'aï qu'il est juste à son pied. »

*

« Oh, j'ai cru qu'elles s'en iraient jamais... Ces deux, qué pestes! Et avec leur air de rien savoir, qui sait ce qu'elles savent? Mon Dieu, chaque fois qu'on reparle de cette histoire, j'en frémis jusqu'au-dedans de moi-même! Et juste il a fallu que ce Hugues, fils d'Alfred Simonin, vienne se tanquer dans le pays pour apprendre le métier de l'eau et maintenant, deux fois par semaine, je serai obligée de me le voir passer devant et qu'il me parle et que je lui réponde. Je croyais que c'était fini

45

pour toujours. Depuis la mort de l'Alfred, on n'avait plus vu par là ni sa veuve, ni l'enfant ; c'était assez loin vers Apt, pour qu'ils ne reviennent pas ici où ils avaient honte. Alors j'espérais d'être tranquille jusqu'à ma dernière heure... Et il faut croire que non, que ce n'est pas une chose possible. Et pourtant moi, je ne suis coupable de rien, sauf d'une grosse indulgence que je n'aurais pas dû avoir. Mais ça aurait servi à quoi que je parle, dans l'état où tout en était venu ? Je vais passer mon coulis et après j'y mettrai mon petit bouquet garni, qu'y m'a été un bon prétexte pour mener ces filles Teisseire au bout de mon chemin, là où on retrouve la roche nue et au-dessous, le grand vide de la vallée avec ses plateaux, qu'en ce moment ils sont roux de blé ou violets de lavande. C'est magnifique. Rien que ça, ça vaut la peine de vivre pour ceux qui savent regarder. Ce pèbre d'aï que j'ai cueilli au pied du laurier, les gens d'en ville l'appellent « sarriette », d'autres : « origan », ils connaissent pas grand-chose. Pour nous c'est le pèbre d'aï, si vous préférez en français : « le poivre d'âne » et j'ai jamais su si les ânes aimaient de brouter ce genre de poivre, ou seulement de sentir son odeur avec leurs grosses narines ? Qué parfum ! C'est un délice. Ça me plaît d'en mâcher quelques-unes des petites feuilles, parce que j'ai encore mes dents, à mon âge c'est drôle... Et mes cheveux aussi, je les ai encore à moi, fins et blancs comme la soie des cocons. Quand j'avais mes quarante ans, ils me fatiguaient de les tordre en corde épaisse, de les rouler, de les retenir dans des peignettes qu'ils en faisaient toujours sortir les dents ou les casser, tellement qu'ils étaient forts. Maintenant ils ne sont plus que deux minces ficelles que je fais rejoindre sur le bas de ma tête et avec deux épingles ils restent tranquilles. Petit à petit qu'on avance vers la mort, c'est comme ça que tout devient tranquille dans vous : l'estomac qui n'a plus guère faim, le ventre qui perd ses chaleurs, les yeux que la flamme les quitte, les lèvres où le sang n'arrive plus... Y a que le dedans de la cervelle qui jamais n'est tranquille et toujours continue à travailler. Et c'est embêtant. Mais que faire avec cette machine qui ne veut pas s'arrêter ? Allez ! Deux feuilles de laurier, le pèbre d'aï, un peu de persil, un brin d'herbe sèche pour attacher tout ça, cinq minutes que ça cuise après que je l'ai passé et mon coulis est prêt. Je me glisse un œuf dessus et ça fait la rue Michel, j'ai de quoi manger.

Ensuite je laisse éteindre mon feu que, contre la murette ça risque rien, mais quand même c'est toujours dangereux, dans ces mois de l'été y s'allume des incendies par-ci par-là, y vaut mieux faire attention. Puis je me remets sur ma chaise, à côté de ma porte et je m'endors un petit moment. Ou alors je range un peu mon cabanon ?

O, pourquoi faire ? Y a des années que je dis que je le range et je le fais pas. Alors ça prouve que c'est pas la peine. Ni plus ni moins ça changerait pas grand-chose, jamais je pourrai arriver à monter au grenier par l'escalier. D'abord, ce grenier, y faut le dire, il y pleut autant dedans que dehors, les trois quarts des tuiles sont brisées, c'est pour ça que j'ai toujours des taches à mon plafond. Les souris y font des sarabandes et les tarentes grenues y élèvent leur famille. Alors je tiens pas d'y monter. Puis ce serait pas possible, parce que dans cet escalier, chaque recoin de marche, c'est une réserve. Là, y a ma récolte d'oignons de Mulhouse tout dorés de peau; là y a mon ail, que des fois y germe; y a mes haricots blancs dans leurs cosses et mes pois pointus, qu'eux aussi en français, on leur dit « des pois chiches » et en patois « des cèses ». Y a mes petits fagots de fenouil, de sauge, de thym, pour me faire les infusions d'hiver quand la bile me tourne sur la poitrine et que je commence à tousser. Et sur les dernières marches du bas alors, j'y mets les vieux souliers pour les jours qu'y pleut et les pantoufles et je sais, moi... des tas de saloperies que je ferais mieux de les jeter! Seulement, ma mère elle m'avait habituée à tellement faire des économies que j'ai toujours peur de voir le parquet me manquer sous les pieds. Alors je garde tout, jusque des peaux de lapin tannées au sel et à l'alun par Cyprien y a bien longtemps et que, soi-disant, je devais m'en faire un collet et qu'elles sont toutes mangées des mites. Y a aussi une vieille veste de mon mari... Tout est vieux. Comme moi. Et plus guère bon à rien et je le garde sans savoir pourquoi. O, tant pis après tout! Mes héritiers foutront tout en l'air et y se moqueront de moi à cause de ces saletés. Tant pis! Je m'en fiche. J'en ai qu'un d'abord, d'héritier, à qui je laisserai ma maison de La Côste et mon cabanon d'ici avec ses quatre mille cinq cents mètres de terre, ses oliviers qui me donnent l'huile pour l'année et ses pieds de vigne que c'est du bon raisin. Et personne que moi le sait qui est cet héritier. Et le pauvre, il en aura, des droits à payer à l'Etat, que ça lui mangera la moitié! Mais ça fait rien, quand même y lui restera une des deux propriétés. Il choisira celle qu'y préfère. Il est jeune, y se mariera, il aura des nistons et un jour, tout ça qui s'engourdit par ma vieillesse, ça se réveillera dans le travail et les rires d'une famille nouvelle.

Moi, je serai couchée dans le cimetière de La Côste, près de Cyprien et de sa mère. Et ce garçon alors, y viendra peut-être me mettre dessus un bouquet de gerbes d'or ou de dahlias et il se peut qu'il se demande quelle drôle d'idée m'a pris de lui laisser mon héritage? Ça le fera réfléchir, mais la vérité, jamais il pourra la deviner. Et puis qu'est-ce que ça fait? A ce moment nous serons tous réduits à notre plus simple expression et les jugements du monde, même si le monde arrive à essayer de voir clair, y nous toucheront guère! Ce fils d'Alfred, cet Hugues Simonin, ça lui aidera à élever ses enfants, c'est tout ce que je veux. Seulement j'aurais préféré mourir avant de le connaître. Ç'aurait été beaucoup mieux... Le destin se mêle toujours de ce qui lui regarde pas. »

« Pour me souvenir d'un moment de ma vie où j'ai été tranquille, y faut que je remonte loin, à cette époque où, toute petite, ronde et toujours éclatante de rire, je ne me souciais pas que ma mère soye veuve et qu'elle s'esquinte la vue à faire des points l'un après l'autre dans la soie, le coton ou la laine. Trois, quatre, cinq ans... Jusqu'à ce que la connaissance pénètre dans le cerveau. La première fois que j'ai pleuré pour autre chose que le caprice d'un jouet ou d'une promenade, ç'a été quand une collègue de l'école m'a demandé de mon papa et que j'ai dit, d'après ma mère :

— Mon papa, il est mort à Valence.

Elle a répliqué :

— Ton papa, tu en as jamais eu !

— Comme ? j'ai dit. Tout le monde a un papa et c'est pas de ma faute si le mien est mort.

— Moi, elle a dit, le mien, le soir y vient me chercher en revenant de son champ et y me monte en haut de sa charrette pleine d'herbe. J'ai un peu peur quand ça bouge trop dans les ornières, mais je suis bien.

— Si mon papa il était pas mort, il aurait fait pareil, j'ai dit. Et en plus y se serait arrêté devant la boulangerie Mastre pour m'acheter un de ces gros sucres d'orge rouges qui sont dans les bocals.

— Tu le crois ? elle se moquait. Ton papa, je sais qu'y se fiche bien de toi ! Mon oncle de Forcalquier, y l'a dit à ma maman.

Alors je lui ai envoyé une gifle et je lui ai griffé la figure. On m'a punie et j'ai pleuré à plus en pouvoir.

Et puis, en grandissant, ça m'a passé de réfléchir à ça. Y m'a pas fallu longtemps pour faire davantage attention aux garçons qu'aux filles. Mais j'étais si minçounette qu'aucun me regardait, les seins me poussaient pas, j'avais une mine de chat perdu, j'étais paresseuse, ma mère me grondait tout le temps . « Fais ton lit ! » Je me couchais dessus et je me racontais des histoires en dedans, des histoires où j'étais toujours une reine, au moins une princesse enfermée dans une tour en haut d'un château, par mon père qui était méchant. Je me mettais à la fenêtre, je pleurais, je pensais : « Mes larmes finiront par faire un petit lac en bas sur la terre, tellement je pleure et quelqu'un le remarquera. » Et alors oui, un garçon passait, un habillé comme sur mes livres de l'école, ce qu'on appelle un page, avec des bouffants de soie dans le costume et des cheveux bien rangés qui tombaient en frange. Y passait... y voyait ce petit lac... il était étonné : « Qu'est-ce que c'est, toute cette eau ? » Y levait la tête et y me voyait. Alors je criais : « Sauvez-moi monsieur, que je suis prisonnière ! — Attendez, belle demoiselle ! il répondait, je vais chercher une corde, je grimperai par le lierre pour vous la lancer et quand vous l'aurez attrapée, vous l'attacherez solide là-haut et vous vous laisserez descendre dessus. » Et y le faisait et quand j'arrivais en bas, y me serrait contre

51

lui et il m'embrassait tellement fort que je me sentais mourir. Puis il me menait vers la colline sous l'abri des genêts, il m'embrassait encore et il me disait : « Maintenant il faut que nous fassions l'amour, » et moi je me débattais, je gémissais : « Non! Non! » Et pourtant j'avais envie de me laisser aller... Et c'était toujours à ce moment que ma mère m'appelait de la cuisine :

— Alors, Clarisse, tu es encore à la chambre? Viens un peu m'aider à repasser les coutures.

Je me levais d'un coup parce que j'avais peur d'elle et vite je descendais, laissant tout mon rêve en plan.

— Tu es une feignante, elle me grondait, jamais tu te marieras.

Je repassais sans rien répondre et je me rappelle que quand je remettais le fer encore un peu chaud sur le feu de charbon de bois, je profitais de me le placer une minute sur le ventre, où je trouvais que ça me faisait bon. Je crois pas que j'étais vicieuse. Je crois que toutes les filles elles ont les mêmes idées, seulement elles le disent pas.

Enfin, juste quelques jours plus tard, voilà qu'il m'arrive la grande histoire du sang. Moi, j'étais pas prévenue. Ma mère s'était toujours cachée de ça et à l'école, personne encore m'en avait parlé. Alors, ce matin où je me suis réveillée dans l'humide... j'avais treize ans et demi... je reste bête : « Celle-là par exemple, j'aurais fait pipi au lit? » Ça me semblait pas possible? Je regarde : Mon Dieu, qué peur quand je vois ma chemise et le drap tout tachés! « Je me suis faite mal quelque part? je pense. L'autre soir, en grimpant après le cerisier du jardin des Mastre, ou quand je suis descendue à la cave et que je suis tombée tout écartelée... » Je vais le raconter à ma mère. Je l'appelle, elle vient, elle me dit :

— T'effraye pas pour ça, ma belle. Toutes les femmes nous devons passer chaque mois par cet embêtement. Je vais te donner de quoi te garnir, que tu te salisses plus. Et je t'allongerai un peu les robes.

— Mais maman, je dis, moi ça me dégoûte !

— Que ça te dégoûte ou non c'est pareil. Un moment te viendra peut-être dans la vie où tu seras bien embêtée de rien voir.

— Rien voir quoi ? je demande.

— O, ne me fais plus parler ! elle dit. Reste couchée encore un peu. Tu as mal au ventre ?

— Non.

— Ni aux reins ?

— Non.

— Alors c'est que ça marche comme il faut. Tu es grande fille, c'est tout. Tâche de te tenir sérieuse avec les garçons, parce que maintenant ça a d'importance.

Puis elle est retournée à son travail et moi je suis restée à réfléchir à cette drôle de chose qui, tout d'un coup, venait de mon corps. Après je me suis levée, j'ai fait mon train comme d'habitude. J'allais plus à l'école depuis que j'avais passé mon certificat. Et de cette époque, même que j'aie jamais grossi, j'ai pris des hanches et une petite poitrine arrogante que les bouts en tiraient ma chemise dans le travers.

A peine j'avais mes quinze ans qu'un des neveux Pessegueux, Constantin, qu'on lui disait « Tino », un grand garçon noir comme une pète, y m'attrape dans un coin de la place de l'Orme pour m'annoncer comme ça, à l'improviste :

— Clarisse Barges, je voudrais te marier...

Moi, je ris, j'y échappe des bras, je lui réponds :

— Tu es pas fou ? Tu as juste dix-neuf ans, tu as ton service à faire et nous vivrions de quoi ?

— Toi, il dit, tu continuerais de rester avec ta mère le temps que je serai soldat. Après, j'aurai ma situation à la forge avec mon père.

— Hé ben merci ! je dis : Un homme toujours suant du feu et qui sent la corne brûlée et la limaille de fer, ça me dit rien.

Je riais tant que je pouvais.

— Tu as bien de prétention ! il me jette, vexé qu'il était. Y en a des autres de filles, tu sais, qui seraient heureuses de se mettre dans une famille honnête... Et toi la première ça te remonterait.

— Ça me remonterait ? Et d'où ? Et de quoi j'ai besoin être remontée ? Ma famille, elle est pas aussi honnête que la tienne ?

— Moi j'ai un père, y dit.

— Moi c'est ma faute si le mien est mort ?

— Il est mort il est pas mort... y continue. En tout cas ta mère, y l'a épousée derrière la mairie.

— Tu veux signifier quoi par là ? je demande après avoir reçu comme un coup dans l'estomac.

— Oh rien ! il dit. C'est pas la peine. Tu veux m'épouser ou non ?

— Non, je dis, tu me plais pas. J'aime mieux les garçons qui ont les yeux bleus.

— Hè ben merde alors! il dit. Va te le chercher, celui qui aura les yeux bleus. Et que tu soyes bien malheureuse avec, c'est la grâce que je te souhaite!

De rage, la salive lui coulait de la bouche. Il m'a tourné le dos. D'un an y m'a plus parlé. Après, il est parti faire le militaire dans l'Est, après y s'est marié avec la cousine des Bonnieux, ils ont eu six petits et lui il est devenu gros comme un tonneau et encore plus noir qu'avant. Qu'y soye brave je dis pas le contraire, mais ça me suffisait pas. L'amour, ça a pas de raisonnement.

Bon, celui-là c'était enterré. Six mois plus tard, un autre me parle, un qui venait pour faire marcher l'alambic de la lavande, un pas du pays, un timide. Il était pas pour me déplaire. Deux trois fois nous nous tenons conversation. Un soir, après le bal de la fête on va vers la route, y me dit que je lui plairais beaucoup.

— Votre mère je la connais, elle m'a raccourci des manches de chemise, j'ai vu votre intérieur, c'est bien tenu. Moi je suis un homme de maison, j'aime qu'une femme reste chez elle et aille pas courir à droite à gauche.

— Je suis pas une coureuse, je dis.

— Oui je sais, je me suis renseigné sur toi, il y a rien à critiquer. Sur ta mère non plus. La seule chose...

Là il s'est tu, ce garçon que je me souviens plus exactement comme y s'appelait: Richard je crois... ou Ricard... Enfin y se tait et moi je dis en le regardant au plein des yeux:

— La seule chose c'est quoi?

— C'est ton père, y me dit. Il est vivant ou il est mort? Il a marié ta mère oui ou non?

55

J'y ai coupé la parole d'un coup :

— D'abord, je vous défends de me tutoyer. Et puis le reste, ça vous regarde pas !

Il est devenu tout rouge et il a baissé la tête. Moi, mes yeux devaient lancer des flammes. Il a encore dit doucement :

— Ça me regarde si je vous épouse.

— Hé ben ne m'épousez pas, j'ai dit. Et puis je m'en fous !

Je suis partie en courant, je me suis jetée dans les buissons qui bordaient la route et j'ai pleuré un plein seau de larmes...

Quatre fois il m'a appelée, j'ai jamais répondu. J'ai laissé rentrer tout le monde du bal et quand je suis revenue à la maison, seule et ma robe fripée, ma mère, avant que j'aie pu m'expliquer, elle m'a flanqué une paire de gifles parce qu'elle croyait que j'étais allée fréquenter et j'ai encore pleuré avant de m'endormir.

*

Cette fois j'avais compris. J'ai pensé : « Jamais aucun garçon ne me voudra. Pour trouver un mari je peux me fouiller. Y faut avoir à la fois un père et une mère, je le vois. Un des deux ne suffit pas. » Et je suis devenue sauvage avec le monde, refusant toutes les amitiés et prenant comme seul plaisir d'aller me promener dans les bois. Entre-temps j'aidais ma mère à son travail et c'est comme ça que j'ai eu l'occasion de regarder passer Cyprien quand il est devenu facteur à La Côste.

Tout de suite j'ai vu qu'il avait les yeux bleus, ces yeux bleus que même le garçon de l'alambic ne les avait pas, mais seulement gris clair comme l'eau qui est sous les saules. Et c'est pour ces yeux que je mettais si facilement à la fenêtre ; pour voir passer ce genre d'yeux bleus, bien larges ouverts dans son visage brun du soleil, avec des longues lignes droites dans sa peau sèche et des lèvres épaisses comme les miennes et entre elles, des dents qui brillaient. Oui, je peux le dire que tout de suite y m'a plu, Cyprien, et je me demandais si le moment viendrait jamais qu'y m'adresse une attention particulière...

Et puis un jour c'est venu. Qui sait pourquoi ? Qu'est-ce que j'avais de plus ou de moins que les autres fois ? Qui peut le dire ? J'ai remarqué qu'il y a des moments où on se voit laide comme tout et juste un homme vous jette le regard dessus et des moments que tu t'es bien pimparée, que tu te crois jolie et vous passez inaperçue en plein. Naturellement je parle du temps d'autrefois. A présent je suis si vieille et toute ridée, personne me regarde plus. Y a que ce qui est joli et jeune qui intéresse les hommes. Pour ça y tueraient. Je lis pas les journaux parce que j'y vois plus assez bien de près, mais j'entends raconter que, tous les jours, y a de ces drames qui vous font dresser vos quatre cheveux sur la tête. Un, c'est sa femme qu'il étrangle, l'autre c'est sa maîtresse, et y faut l'avouer, les femmes sont aussi fortes que les hommes dans ce genre de bêtise ! Les uns ou les autres, quand ça les tient au ventre, c'est comme un feu qui brûle. Si tu jettes pas tout de suite un seau d'eau dessus, toute la maison y passe ! Au fond c'est des gros malheureux de se porter toujours en dedans cette charge de passion qui les casse en deux... Mais quand tu as pas ça, sur la terre, alors tu t'embêtes parce que tu as plus rien. Je me rappellerai toujours la première fois que vraiment la chose m'a bouleversée et que Cyprien l'a compris. Pas le jour des fiançailles, ça non, ni même après, ni même pour la nuit de noces, mais un soir que nous étions partis à l'hasard sur la route de Forcalquier et que nous se sommes reposés au penchant d'un talus, sous un fayard qui faisait une ombre épaisse comme la nuit noire. Y avait un vent de tornade que les arbres semblaient fous et les pauvres, ils avaient grande peine à se défendre contre ces grosses poussées de bourrasque qui les jetaient et vers la droite et vers la gauche et je te salue et tu me rends et les cyprès on aurait dit qu'ils voulaient balayer la terre avec leur pointe et les oliviers ils semaient des paquets d'argent de partout, comme les parrains font pour les dragées des baptêmes. Alors, nous deux, allongés sur ce talus, sous l'ombre de ce chêne que c'était un rond de calme, naturellement Cyprien il a vite été sur moi... Et qu'est-ce qui s'est passé d'un seul coup, que dans sa folie, nous avons fait une glissade ensemble jusqu'en bas de la pente où y coulait un ruisseau, qu'heureusement y avait guère d'eau! Et c'est là, dans les menthes et les fleurs roses des valérianes que j'ai senti ce qui fait courir le monde et qui est cause de tous ces drames des journaux. Cette odeur qui montait des plantes écrasées mêlé à notre chaleur, y me semblait qu'elle avait été inventée exprès pour nous et des moments comme ça, y vous feraient croire en Dieu.

C'est de ce soir-là que j'ai tant aimé Cyprien que je l'ai plus considéré seulement comme un mari qui te porte son mois et que tu lui fais la cuisine, mais comme un homme qu'il avait reçu de je sais pas qui, un pouvoir extraordinaire qui t'obligeais à l'aimer plus que n'importe qui au monde et à tout lui pardonner. Et je lui ai tout pardonné... Et je le sais, s'y a un enfer comme il assure le curé (qu'il y est pas allé voir, notez bien?) j'y brûlerai toute mon éternité, mais si j'y brûle avec Cyprien je serai encore contente. Peut-être que j'aurai encore occasion de voir ses yeux bleus venir pâles, pareil que le chardon de nos Alpes quand le soleil y a tapé dessus tout le mois d'août, mais c'est pas pour ça que sa couleur en est moins belle, au contraire, tu sens que c'est l'ardeur qui la dévore et Cyprien c'était ça quand y faisait l'amour et je lui disais : « Ouvre tes yeux... ouvre-les grands que je les vois jusqu'au fond. » Et ils étaient en fusion de métal, d'un bleu de myosotis et rouges comme le fer quand Pessegueux le bassalle sur sa forge et puis, ni rouges ni bleus, mais blancs d'un feu à te brûler les parpelles. Et le désir de moi et le plaisir de mon plaisir, je le voyais dans cette couleur et mes ongles, je les rentrais dans les épaules de Cyprien. O j'étais folle, je le reconnais... C'est la jeunesse. Après y m'est venu ces trois petits qui m'ont calmée, j'en avais besoin. Puis, après le malheur j'ai pensé à trop d'autres choses et toujours je disais non et c'est peut-être moi après tout, que j'en suis la cause, de ce malheur.

*

Quand on vient au monde, quand on grandit, y devrait y avoir quelque chose qui vous avertit de ce qu'y faut dire, de ce qu'y faut faire... Ceux qui vont à Lourdes ou qui, même dans leur maison voyent un miracle, je sais pas moi, le soleil qui tourne ou la Vierge Mère qui leur fait un sourire et leur commande de bâtir une chapelle, ils sont bien heureux! Qu'est-ce que c'est de bâtir une chapelle? Mes pauvres, des pierres mises sur des pierres avec un bon pastis de ciment, puis trois poutres, un plafond, un rangement de tuiles, une baisant l'autre, c'est rien du tout à donner pour récompense, à qui vous a, d'un coup, expliqué toute cette vie que tu y comprends rien.

Mais ça, les miracles, une statue qui pleure, qui saigne ou qui vous cligne de l'œil, ça arrive pas à tout le monde! Alors ma belle, débrouille-toi seule pour comprendre le mystère : « Pourquoi tu es venue au monde? Pourquoi tu en partiras? » Tu as beau réfléchir, tu restes fadade. Sans doute qu'y faut lire beaucoup de livres pour arriver à comprendre le pourquoi et le comment... Et moi, de lire, le temps je l'ai guère eu. Même le journal, juste quand j'avais mes yeux, j'y regardais les photographies et des fois je suivais le feuilleton, mais c'était rare. J'étais occupée, y faut le comprendre. Et je me faisais du souci pour Cyprien qui faisait sa distribution en campagne : Y passait les ponts, y traversait l'Endre, les autres rivières que l'été tu y vois que des larges pierres plates et d'octobre en décembre, des torrents d'eau que ça t'emporte les rives. Bien des fois je me tracassais pour lui, en juillet à cause de la grosse chaleur où les blés semblent flamber comme le bois dans le four du boulanger Mastre; en janvier à cause du verglas, de la neige, du froid qui lui gelait les os. Ah, c'est pas drôle : facteur! Mais maçon non plus, que tu tombes des échafaudages. Le pauvre, partout où il est pauvre, y risque la mort. Enfin, quoi que ce soye, moi j'étais seule à la maison et j'avais à faire. La tante Marthe elle me gardait Jeannot; seulement, vieille et les mains ratatinées par le rhumatisme, elle me portait le linge à laver et le sien avec. Et mon mari, forcément y salissait beaucoup ses chaussettes et il y falsait de ces trous à force de marcher, que j'arrêtais pas d'y remettre les talons. C'est le travail des femmes, je me plaignais pas, quand même que François, mon second, ce soit un insupportable, toujours en lambeaux de la jambe ou du pantalon. Il avait la tête dure comme une cougourde, il a voulu quitter la maison à peine ses quinze ans pour se placer à la grande porcherie de la Laye. Ma foi, nous l'avons laissé partir. Que faire? Chacun son goût. Et les garçons, tu les retiens pas! Après il est allé encore plus loin, un jour il a écrit qu'y s'était marié, y avait trois ans qu'on était sans nouvelles. Faites des enfants! Cyprienne, par contre, elle était la douceur même, mollasse presque. Tu pouvais lui faire les observations que tu voulais, elle avait pas une réaction. A l'école elle a rien sû apprendre, c'était un vrai aï, mais elle était jolie : les cheveux, les yeux, la bouche, les dents et la poitrine plus que moi, tout! Alors, y s'est passé que le neveu du maire de La Côste qu'il habitait Aix et qu'il est venu en vacances, y l'a vue, y l'a voulue, y l'a mariée et y l'a emmenée à Paris, un pays si loin! Et moi, du coup, je me suis vue sans enfants après ces vingt années de mariage et ça m'a fait une drôle d'impression de me retrouver seule avec Cyprien. Voilà la vie. Vous me direz c'est celle de tout le monde. Celle de tout le monde? Je m'en serais bien contentée. Malheureusement j'en ai eu une autre, mais qui en a su quelque chose? Personne. Un drôle de monsieur qui se promenait toujours en blanc et toujours seul, sur la colline des Trois tours et surtout la nuit, il me disait un jour où nous se sommes rencontrés, que les étoiles que nous voyons de nos yeux, c'est pas plus que la millionième partie de celles qu'y a dans le ciel. Ça paraît incroyable, une histoire semblable? Pourtant ce monsieur il était un savant, alors je l'ai cru. Eh ben, la vie c'est pareil, je m'en rends compte. On en voit comme ça un, deux, trois, quatre points qui se font remarquer : « la jeunesse, le mariage, les enfants, la mort, » c'est tout. A moins qu'y en ait une qui se prenne un amant... Alors y s'en parle. C'est une sorte de lumière en supplément qui attire l'attention de ceux-là qui regardent avec la lorgnette. Sinon, si tu fais ton train de tous les jours, tu passes inconnue : tu nais, tu grandis, tu viens femme ou homme, tu en fabriques d'autres, puis tu tombes et tu laisses ton fumier dans la terre où y ne reste plus que tes os pour rappeler que tu as vécu...

Moi, des fois, quand je suis assise là, comme à présent, dans ma robe grise qu'elle me va du cou jusqu'aux pieds, sans que rien s'y marque autre que le pointu des genoux; avec ma galette de paille noire que c'est mon chapeau contre le soleil, posé sur le blanc de mes cheveux, je me dis : « A quoi ça a servi que je passe dans ce monde? J'y aurais pas été que ça serait du pareil au même. Ma mère m'aurait pas faite, elle se serait évitée bien des embêtements... Cyprien, il en aurait connu une autre, ça n'avait pas d'importance et une autre femme lui aurait fait ses trois petits, que ni plus ni moins maintenant on les a plus, alors ça aurait pu aussi bien ne pas exister, tout ça qui a pas été utile à grand-chose. Pour porter les lettres chez les gens et les enfants dans le ventre, n'importe qui l'aurait fait à notre place et c'est pas nous qui en aurions eu le souci. Seulement ç'a été nous et il a bien fallu accepter. Tu y es tu y es ! Et les complications que ça t'amène, tu peux pas les jeter comme la pelure des pommes de terre qu'y a que le dedans de mangeable. Et ça t'en fait des petits dans la tête ces complications ! Que pourtant ça a ni germes ni graines...

Jeannot, mon premier fils, il a hérité de la tante Marthe, sa ferme sur le bord de l'Endre, oh, une ferme de pas beaucoup ! Pourtant y s'est arrangé pour en vivre. Il a marié la fille d'un voisin, une laide qui avait un bout de terre à blé qui jointait la sienne. Ça faisait l'affaire. Ils ont un niston tout de suite mais qui meurt, puis la femme elle meurt de ses couches ; lui, mon fils fait connaissance d'une autre femme venant de Lyon, il y repart avec elle, j'en entends plus parler, sauf que deux ans après, elle m'avise que Jeannot, par accident, un train lui a passé dessus. De ce côté, bon, plus rien !

François, lui, il a bien mené son char, seulement si loin de nous que c'est comme s'il avait pas existé. Il a quitté la porcherie de la Laye pour s'en aller au service militaire à Clermont-Ferrand, il y a rencontré une fille qui travaillait chez Michelin, qu'elle avait un enfant d'un contremaître, après y l'a épousée. C'est souvent comme ça que les garçons restent dans le pays des filles. Y semblait que ça allait bien marcher, puis un jour il a trouvé sa femme couchée avec ce contremaître et de la rage il a foutu le camp dans un endroit de l'Amérique qu'on y élève des cochons. J'ai jamais bien su où, parce que c'est un nom trop difficile à retenir. Et de là aussi on m'a annoncé qu'il avait été tué dans le temps de la guerre. Son ancienne femme, j'en ai plus entendu de nouvelles.

Y restait Cyprienne. Cyprienne c'est autre chose. D'abord mariée au diable avec quelqu'un de bien et pas plus d'idée qu'un bol de lait caillé, elle a cessé de nous regarder. Pas une lettre, pas une visite, rien ! Son mari, il était parisien, il avait dû lui donner le genre dédaigneux avec nous. Hé, va te faire lanlaire, ma fille ! Vingt ans que je l'avais plus vue quand mon gendre m'a télégraphié qu'elle était au plus mal de la grippe espagnole. Le trajet du voyage d'ici Paris c'est long, elle était enterrée, j'avais plus qu'à revenir, c'est ce que j'ai fait. De mes trois enfants, y m'en restait point, ni même de petits-fils. C'est pour ça que je dis que Cyprien et moi, nous aurons pas servi à grand-chose...

Pendant tout ce temps que la vie passait par-dessus nous, comme une grosse rivière chargée de tous les ruisseaux de montagne qui se versent dedans, mon mari continuait son travail et moi le mien. Et nous avions pas le même. Moi c'était la maison à tenir propre, le linge à laver, à raccommoder, à repasser, le bien d'ici à entretenir, ce que les hommes font pas : déterrer les pommes de terre avec le béchard à deux dents, nouer les tiges des ails afin qu'ils fleurissent pas, coucher sous les pieds celles des oignons pour avoir des grosses têtes, arroser les vaseaux des semis de carottes, de persil et de poireaux, puis cueillir les olives que ça alors c'est une grosse ouvrage qui vous rend les doigts tout ridés, les envoyer au moulin, après recevoir l'huile, la bien verser doucement dans les jarres pour laisser au fond la crasse que toujours elle fait. Entre le temps de préparer les olives vertes pour leur enlever l'amertume, puis de piquer les noires, de les saler, les dessaler, leur mettre le poivre et le laurier, y avait encore de couper le raisin. Là, Cyprien il y mettait la main, c'est trop important pour une femme seule, surtout que c'est les hommes qui boivent le vin. Pour ça alors, y se faisait remplacer à sa distribution du courrier par un des fils Mastre qui voulait aussi faire le facteur, même que maintenant c'est lui qui l'est.

Tout ça c'est les choses ordinaires de la vie, tout le monde et partout en a les pareilles ou à peu près. C'est ce qu'on voit. Mais ce qu'on voit pas, ce qui occupe le dedans d'un homme ou d'une femme, on peut passer toute une existence sans le faire deviner ni que personne le sache.

Si ma vie à moi elle était régulière, entre ici que nous l'avons toujours appelé « le cabanon » et ma maison de La Côste : quatre grandes pièces fraîches ouvrant sur une cour d'un côté, de l'autre sur la rue des Ecoles, oui, si ma vie à moi elle était la pelote de laine que tu tires un fil et que ça va jusqu'au bout, celle de Cyprien c'était pas pareil. Toute son occupation, elle dépendait du courrier. Le matin six heures, bon, entendu, il était à la gare à côté du café où y prenait un vin blanc, c'est naturel. Y portait le sac au bureau; après, il avait un moment à attendre le train de neuf heures qu'il était un peu plus chargé parce que ça venait de Paris par Marseille, puis ensuite l'autre à onze heures : le courrier de l'alentour. Faire le tri avec la receveuse, puis partir distribuer, des fois ça le menait jusqu'à une heure et demie et à midi je me voyais forcée de manger seule. Je comprenais bien ce que c'était que le travail. Mais pour son temps du matin, des fois je lui demandais : — De six heures que tu portes le premier sac au bureau à neuf heures que tu attends l'autre, qu'est-ce que tu fabriques? Tu peux pas revenir un peu à la maison, que tu aurais toujours quelque chose à y faire?

— Hé non! y me répondait, je suis employé des PTT. Tu arrives pas de te mettre ça dans la tête. Tu es comme les mules noires.

— Mais... je disais encore, quand même, trois heures?

— Tu m'emmerdes, Clarisse, il finissait par dire.

Je me taisais. C'est tout ce que j'avais de mieux. Si j'aurais sû, je me serais pendue après sa veste et je l'aurais plus quitté. Seulement allez deviner les choses, pauvres de nous qui avons les yeux bouchés! Alors c'est comme ça que le gros malheur est arrivé. »

« Ces Simonin... Jamais j'aurais pensé qu'ils auraient tant de place dans mon existence. C'est parti des Bonnieux. Et qui aurait pu supposer ? On était tous bons amis, de ce temps-là. Les choses se passaient simples entre nous. Les Bonnieux c'étaient des voisins de ma mère. Leur Ninette, je l'ai vue pousser pendant le temps que je me mariais. D'abord je m'y intéressais, puis naturellement quand j'ai eu les miens, j'y ai plus guère fait attention. Elle a grandi, elle est devenue belle, elle est partie pour épouser Alfred Simonin. A vrai dire je m'en suis jamais beaucoup occupée. Elle a eu quatre enfants : Cet Hugues qui vient de traverser mon bien avec Fonse l'aïguadier, c'est le plus jeune, puisqu'il avait deux ans quand Alfred... Mais la petite, c'est beaucoup avant qu'elle était née et après elle, y avait eu les jumeaux, Jackie et Loulou, qui se sont noyés tous les deux en allant pêcher dans l'Endre, un voulant sauver l'autre qui était tombé dans l'eau. La petite Marie-Louise, elle était la troisième. Quand Simonin est revenu à La Côste avec l'idée qui était bonne, de fabriquer des paniers, elle était dans sa rondeur de belle petite fille et c'est vrai qu'on avait plaisir à la voir et quand Cyprien me le faisait remarquer, je pouvais pas dire le contraire. Mais allez vous imaginer... Une nistone dans son enfance et un homme de l'âge de mon mari! Quarante ans de différence! Et mon mari si tranquille, qui jamais se prenait l'air de regarder une femme, comment auriez-vous voulu se douter? Et surtout d'une chose pareille, d'une chose qui finisse si terriblement...

O, quand je me rabâche ça dans la tête, le frisson me passe à travers la moelle des os. Y vaut mieux que je me remue un peu. Tè, je vais voir si ma poulette a fait son œuf! Je l'ai entendu caquaréger et son imbécile de coq a jeté un cocorico tout pareil que si c'était lui qui avait pondu. Les bêtes, des fois, sont aussi bêtes que les gens! Ah voui, il y est, cet œuf et chaud, doux à tenir dans la main avec son genre de mystère enfermé dedans comme tout ce qui contient la vie, que ce soye l'œuf, le fruit ou la graine dans leur enveloppe. Si je le mangeais pas, cet œuf, y ferait un poussin. Trois, six, neuf, semblables à lui et bien chauffés sous la poule mère et vingt et un jours après y te piquent la coquille à l'endroit où y a le vide, avec la petite pointe que le bon Dieu ou je sais pas qui, a bien pris l'attention de leur mettre sur le bec et allez, zou, y font un trou de plus en plus grand, y fendent la coquille et y sortent! D'abord tout étourdis, tout pégueux, mais bientôt ils se sèchent et alors ils sont dorés comme le gratin au four.

Le fruit, c'est la même chose si tu réfléchis, seulement ça fait moins d'effet. D'abord, le fruit tu penses qu'à le manger, jamais tu le mets à couver, c'est lui seul quand il tombe de l'arbre qui s'arrange pour se creuser son nid dans le mou de la terre et s'acclaper sous les feuilles pour se rendre invisible. Là alors, il se laisse pourrir lentement lentement et tout ce que nous, nous croyons qui a été fabriqué juste pour que nous le mangions, cette pulpe de la pêche pleine de jus doux, de la poire brillante, de la pomme qui craque, ça travaille plus qu'à se laisser pourrir lentement lentement pour nourrir le noyau ou les pépins qui sont au milieu, bien encafournés et protégés par ce matelas au-dessous de la peau. Le plus, c'est les figues. Celles-là, elles sont rien qu'en graines. Combien il en pousserait sur la terre, des figuiers, si on mangeait pas les figues? Des centaines et des centaines. Et pourtant il y en a qui tombent à terre, de ces figues et y a pas puis tant de figuiers, c'est drôle? Y doit y avoir beaucoup de perte, comme pour les hommes, des guerres qu'on voit pas entre ces fruits et les limaces, les perce-oreilles, les vers blancs, toutes ces bêtes qui, comme nous, cherchent à pas mourir de faim. Et l'œuf de ma poulette si je le laissais dans le panier où elle le pond, y aurait bien toujours une souris, un mulot et même une martre pour venir le voler. C'est pour ça que, chaque soir, je fais bien la tournée avant de partir et j'ai soin de mettre le crochet à la porte, parce qu'une fois où madame Bugeaud passait de nuit par ma terrasse, y lui a sauté un renard dans les jambes elle a dit, avec des yeux enflammés et une queue en gros panache, qu'elle a cru en mourir de peur.

C'est vrai que cette femme elle a pas les idées solides, elle est moins vieille que moi et à peine veuve depuis quelque temps, mais je crois qu'elle a jamais dû avoir son bon raisonnement? Moi, je descends à mon cabanon pour être tranquille et me reposer loin des gens de La Côste, de cette vie que, seule, je sais ce qu'elle a été. Et cette veuve Bugeaud, pour revenir de chez son beau-fils Fabre qu'il a un carré de vignes à côté de La Sousta, tu diras qu'elle pourrait en revenir en suivant le canal, ce serait mieux son chemin... Jamais de la vie! Y faut qu'elle prenne de mon côté, quitte de se coller des rapègues de chardon dans les plis de sa jupe, y faut qu'elle m'appelle en arrivant par-derrière le cabanon :

— O madame Roman, vous êtes là? elle crie.

— Eh! oui je suis là, je dis.

Comment faire? Elle a des yeux pour me voir. Je suis pas un fantôme. Alors elle s'avance. Elle demande avec le sourire :

— Vous permettez, je m'assoye un peu?

Elle attend pas la réponse. Elle se met sur une banaste renversée qu'elle est mal installée comme tout, mais ça fait rien et elle commence de me raconter ses histoires que c'est un vrai monologue et que si on la coupait pas comme tu tournes un robinet, jamais elle s'arrêterait. Voilà comme c'est. On entend diguedinguer la cloche de La Côste, celle qu'elle est dans une cage de fine grille, pareil un oiseau précieux. Alors madame Bugeaud, elle se donne un air d'extase et elle dit :

— Ça a sonné beau.

— Quoi? je dis.

— Les cloches. Elles ont sonné un peu joli, elle continue. Ça doit être une grande fête de je sais pas quel Saint. J'ai pas regardé le calendrier. Mon pauvre mari me l'avait mis trop haut dans la cuisine, y faudra que je le

70

mette plus bas parce qu'autrement je peux pas le lire. J'y reprochais toujours qu'y le pendait trop haut.

Moi je me tais. Alors elle reprend :

— Je l'ai encore rêvé cette nuit dernière, mon pauvre époux. Y me faisait signe avec le fusil, ça veut dire que la guerre elle est pas loin... Vous allez voir, un de ces jours ça bardera.

— Ah vaï vaï! je la coupe : laissez un peu ces bêtises.

— Hé ma brave, c'est pas des bêtises, c'est la vérité vraie qui vient pour t'avertir. Parce qu'y faut le savoir, les savants qui ont appris la science, y le disent : dans les rêves, l'âme, y vole... Dans les premiers temps d'après la mort surtout, l'âme, y voltige. Après, plus tard non, y vient plus, y va dans un autre atmosphère, un autre atmosphère qu'y en a beaucoup qui en sortent plus... Le pauvre, moi je suis contente qu'y vienne un peu me voir, mon pauvre Bugeaud qu'il était si brave!

Oui, je me pense, quand tu l'avais, tu le faisais cocu et si le jardinier Zéphyrin y te voulait, encore maintenant ça te déplairait pas.

Mais quoique je me taise, elle persiste de débiter sa parole. Elle soupire :

— Y faut que j'aille à Marseille : A la Marsiale. Ma belle Marseille! O, j'y regarde rien! La dernière fois, je suis venue tout droit de Sainte-Marguerite à la gare. Pourvu que j'aye pas le mauvais temps? Hier au soir, y te montait une bouffigue de nuages comme un éléphant gris, de derrière le peuplier du côté de la Laye, que ça, ça veut dire méchant... Et dimanche dernier, le tonnerre il est tombé sur la place, à la minute que juste monsieur Bourgues, l'ancien instituteur, y trempait son arrosoir dans l'eau de la grande fontaine et y paraît qu'il a senti passer le courant dans son bras, pareil qu'une chose électrique. Ça lui a fait comme une paralysie. Il a crié, il a tout lâché, il a couru au café de la route, y s'est fait servir une fine, il était blanc et y tremblait que c'est bien naturel, même pour un homme capable de te lever une balle de foin.

— Sûrement, je dis. C'est des choses mystérieuses qui vous coupent les forces.

— Moi, je le cache pas, je la crains, l'orage, que dès les premières gouttes grosses comme des soucoupes, je ferme toutes mes fenêtres et j'allume les bougies. Le pauvre Bugeaud, lui, il avait pas peur. Même y se moquait de moi et je prenais colère en le traitant d'imbécile. Une fois je m'en rappelle, nous étions ensemble à la vigne, qu'entre les rangées nous avions mis des pommes de terre, qu'après nous en avons plus mis parce que ça y nuisait, eh ben la chavanne, elle est venue d'un coup : un tonnerre claquant que tu aurais cru un bombardement et l'éclair tout ensemble. Mon mari, courageux qu'il était et qui faisait le fort, il a lâché le béchard. Moi, j'ai crié : « Sainte Vierge Marie ! » C'était fini, il a fait l'averse que ça nous a trempé les os, mais le plus important était passé. Seulement, de là, y m'est sorti des fleurons tout le tour du cou que le pharmacien y m'a dit : « Y vaut mieux pour votre santé que les furoncles vous ayent tiré le mauvais, que sinon vous pouviez avoir un coup de sang. »

Elle s'arrête, elle soupire un gros coup, elle répète :

— Voui : Un coup de sang. Tu te rends compte? C'est pas rien, un coup de sang!

Puis elle recommence :

— Y faut que j'aille à Forcalquier. Pourvu que j'aye pas la pluie? Je vais acheter des verres de lampe qu'à La Côste on en trouve pas.

Moi, je ferme les yeux parce qu'elle m'énerve.

— Vous êtes malade? elle dit. Je comprends que je vous fatigue avec mes couillonnades. Allez! Je m'en vais! D'abord, moi aussi j'ai mal de tête. J'aime pas beaucoup de tant bavarder.

Elle se lève, elle part. O qué soulagement! C'est embêtant qu'elle et des autres ayent ce droit de servitude dans mon bien. Mais enfin y en a qui ont la délicatesse de passer derrière le cabanon au lieu de devant, ou bien dans le sentier sous les oliviers et les romarins; alors je les vois guère. Pourtant je devrais plutôt rechercher la distraction, eh ben non, au contraire, même que mes pensées soyent pas gaies, je préfère de me les tourner tout à mon aise dans ma tête et en solitude, parce qu'y a que moi qui dois les connaître.

Cette veuve Bugeaud, elle a eu une meilleure vie que nous : son mari cantonnier, rien qu'une fille qu'elle a mariée à ce Justin Vabre qui travaille à la tuilerie. Quand elle était fille, elle faisait un peu la couture comme ma mère, mais elle était trop tête en l'air et le derrière, y lui suivait la tête. Elle a eu de la veine que Bugeaud s'en est jamais aperçu, mais le père Mastre, y paraît qu'à tous les deux y se chargeaient d'enfourner le pain. Cyprien me le racontait qu'un jour, vers le soir, il les avait trouvés contre le mur du fond, avec un air de pas craindre la grosse chaleur, ni de se brûler les fesses. Moi, c'est des histoires que ça m'intéressait guère. S'y a eu un temps dans ma vie où j'ai apprécié la chose de l'amour, j'étais bien jeune et ça m'a beaucoup vite passé. Cyprien, c'était pas pareil, c'est ça, sans doute, qui a fait le malheur. Peut-être que si j'avais été un peu plus... comment je peux dire? Un peu plus... enfin je me comprends, toutes les idées qu'il avait, mon mari, elles se seraient pas ramassées en boule dans sa tête au point de le rendre comme fou. C'est ça qu'y m'a confié : « J'étais comme fou! » Voilà pourquoi j'ai pu y pardonner. Et pas lui pardonner, y faut l'avouer, au moment fatal où il en arrivait, c'était pas possible. Mort que mort, lui et les deux autres, ça avait plus d'importance pour personne. Y a plus que moi pour porter la charge. Personne le voit qu'elle m'écrase le cœur seulement, moi je la sens et je ferais mieux de plus y penser. Mais y faut pouvoir.

Ces Simonin... je me répète. Ce nom, c'est un alcool à brûler qui me coule dans le corps, sans s'éteindre jamais, depuis tant d'années que la flamme s'y est mise. Ces Simonin, y pouvaient pas rester loin où ils étaient, non? Puisque la Ninette Bonnieux elle s'était mariée là-bas, elle avait besoin de revenir avec Alfred? C'est mon mari, qu'un jour y me dit :

— Figure-toi un peu qui revient à La Côste?

Je dis :

— Je sais pas.

— Les Simonin, y dit. Celui que la Ninette Bonnieux,

tu sais, qui était si jolie, elle a épousé? Et à présent y viennent pour faire la fabrication des paniers.

— Tè, c'est peut-être une bonne idée, je réponds. Les panières, ici, avec les pêches et les raisins qu'on les expédie, jamais on en a de reste.

— Et l'Alfred y fera le quatrième à la belote que Pessegueux l'aîné, ça nous fait un vide.

Pessegueux l'aîné il venait de mourir, celui qui avait connu et aimé ma pauvre mère et auquel j'étais allée tenir conversation.

— Bon, moi je dis.

Et nous en parlons plus. J'avais les soucis de la vie de tous les jours. Pour y porter attention, y m'a fallu des remarques. Elles sont venues une après l'autre, au cours du temps, pareil que les tiques des chiens. Tu en vois une petite, tout d'un coup elle est énorme, tu l'arraches, y coule un peu de sang noir, c'est rien; le lendemain tu en as trois à côté. Nous en avions un, de chien, les premières années de notre mariage. Cyprien y l'avait baptisé « Courrier ». Ça faisait rigoler les gens. Y lui avait appris à porter les journaux, mais quand Courrier rencontrait un autre chien, ces journaux y les lâchait pour se battre à son aise. Il était noir, tout poilu, avec des gants gris au bout de ses pattes et une mèche grise qui lui tombait sur les yeux qui lui brillaient en étoiles. Bien brave. Une charrette de bois y a passé dessus, le pauvre, il a mis une heure à mourir, tout écrasé qu'il était. C'est l'aîné des Pessegueux qui, à la fin, lui a tiré un coup de fusil dans l'oreille :

— Vous allez pas laisser souffrir cette bête comme

ça ? il a dit. Y faut l'achever. Vous voyez pas que les intestins lui sortent ?

Mais Cyprien avait pas le courage. Il avait pas le courage, non. Alors quand on pense que...

Ah, que je me fasse mon dîner, ça vaudra mieux que de tant réfléchir !

L'œuf tout frais pondu sur le coulis de tomates c'est une chose si jolie à regarder qu'on a peine de la manger. Ce jaune au milieu, ce blanc, puis ce rouge autour, moi ça me fait l'effet d'une île déserte. Y a bien, je crois, quelque part dans le monde, une mer qu'on l'appelle « la mer Rouge » ? Mais ce jaune, moi je le vois plutôt comme un champ de blé bien mûr, tout arrondi et à son alentour c'est la roche blanche bouillonnante de-ci par-là, bordant le champ. Et quand tu plantes ton morceau de pain là-dedans, ma belle, d'un coup ça se mélange : le jaune le blanc le rouge... Et le doré de l'huile vient au-dessus et c'est un vrai délice de pastisser tout ensemble. Moi je choisis la mie du pain parce qu'elle est douce à mes gencives où les dents ne tiennent plus beaucoup, même qu'elles soyent restées à leur place.

Et voilà, quand j'ai mangé, je vais jusqu'à mon poirier de la Saint-Jean, je me tire une branche et je me choisis deux poires pour moi. Aujourd'hui j'en prends de plus une dizaine que je les ai promises à Fonse l'aïguadier, pour sa fille Clarisse. J'y poserai sur la table, dans un vieux petit panier que l'anse elle en a craqué et que j'en garnis le fond de trois feuilles de figuier. Y les trouvera là ce soir, ce brave homme, quand moi je serai rentrée depuis bien longtemps dans ma maison de La Côste, bien tranquille, pour mon repos de la nuit. Ici, même que les journées soyent chaudes, le soir, y te passe une coulée de vent sur les épaules que ça me fait tousser après et que ça m'étouffe. Y m'a dit, cet homme, qu'y me lèverait la vanne, je sais qu'y le fera, il est de parole. Mes tomates elles se redresseront un peu et peut-être j'en aurai assez pour faire de la conserve d'hiver. Il est long, l'hiver, quoiqu'on soye en Provence. Y faut dire que les Alpes sont pas loin et quand le mistral passe sur la neige, ça te gèle les os jusqu'à la moelle, mais c'est un air si bon que des gens viennent de loin pour le respirer.

J'étais partie pour penser aux Simonin. Heureusement que des pommes d'amour aux poires, ça m'en a levé l'idée. Mais c'est une accalmie qui dure pas : ce genre de trou de silence qui se fait quand le vent tombe et que la pluie se prépare à descendre du ciel. Tout alors se tait comme pour attendre, je l'ai remarqué, les arbres y tremblent doucement par leurs moindres feuilles, les fleurs s'écarquillent, les rainettes des bassins, elles se taisent et les cigales, plaquées sur le tronc des platanes, grises comme l'écorce et pour ainsi dire, invisibles. Ce qui se passe à ces moments dans la campagne, nous le savons pas plus que les autres savent ce qui se passe dans nous, à ces mêmes moments où nous sommes tourmentés par des changements d'idées. Nous savons rien comprendre à rien, c'est malheureux.

A la vérité, ça me plaît pas beaucoup de penser aux Simonin ni aux Bonnieux ni à tous ceux qui ont vécu autour de l'histoire et qui ont pu la connaître. Pendant longtemps j'ai craint qu'y ait quelqu'un d'assez intelligent pour faire des suppositions, mais Dieu merci il y a eu personne et le mensonge a triomphé de la vérité. Je dis « Dieu merci », que c'est criminel ! Seulement, moi j'ai été la femme de Cyprien et je l'ai aimé. Alors je préfère que ça se soit passé ainsi.

C'est bien bête d'aimer ! Y faudrait qu'on vous corrige de ça à coups de pied quand on est petit, comme on fait à l'âne qui veut pas prendre le bon chemin. Ça me fait penser que nous en avions un, d'âne, autrefois. A peine que je l'avais chargé des couffins de légumes tout frais, tout beaux, cet imbécile y se laissait tomber sur son côté de ventre et y se roulait dans la poussière... Mes pauvres salades ! Mes pauvres artichauts ! Eh ben, quand on aime trop les gens, c'est pareil, tu leur confies tes paniers de ce que tu as de mieux, ton temps, ton cœur, ton dévouement et y te foutent tout par terre, dans la pierraille et tout ton meilleur bien est gâté. Cette manie d'aimer, je m'en suis rendu compte en vieillissant, mes pauvres amis elle vous en fait faire, de ces bêtises qu'après vous les payez cher !

Alors oui, Cyprien je l'ai aimé jusqu'à la mort. Et pourtant c'est pas manque de me dire, les voisines :

— Tu as pas peur qu'y te trompe, ton mari ? Toujours en dehors de la maison ? Il a occasion de voir des tas de femmes et un facteur, c'est toujours bien accueilli. Partout on lui fait le sourire, là où y passe.

Moi, je répondais :

— Et vous autres, y sont pas en dehors, vos hommes ? Vous les gardez dans vos jupes ? Maçons sur

leurs échafaudages, charcutiers à tuer le cochon, charre-
tiers à trimbaler leur chargement sur les routes? Et les
femmes, elles leur sont invisibles? Qui veut tromper,
trompe. Le mien, c'est un brave. Je suis tranquille sur
lui, surveillez un peu les vôtres, vous ferez mieux.

Je répondais ça parce qu'au juste je le croyais. Et ça a
duré des bonnes années où nous avons élevé les nistons,
faisant le devoir que les parents doivent faire et comme
ça il est venu l'âge que nous nous sommes retrouvés
seuls, les enfants au loin, plus que nous deux.

Et c'est vrai que Cyprien il était devenu mélancolique.

— Tes petits te manquent? j'y demandais, le soir,
des fois.

— Non, y disait. C'est pas ça. C'est la vie...

— Qu'est-ce qu'elle te fait de mauvais, la vie?

— Rien, y répondait encore. Ça me plaît pas de
vieillir, c'est tout.

— Tu es pas vieux? j'y disais. Et tu te portes bien,
y me semble?

— Je suis pas vieux, mais je le deviens, j'ai cinquante
ans.

C'est là qu'il a commencé de plus beaucoup demeurer à la maison. En dehors de ses heures de travail, y
trouvait toujours le moyen d'aller, soit chercher du
bois dans le courant de l'Endre que, dans les orages
d'octobre, elle dépose contre les pierres qui les coincent,
des grandes branches cassées de chêne ou des troncs
déracinés de peupliers qu'y me rapportait sur son dos;
ou alors y venait tout seul ici, au cabanon, pour préparer
les rigues des haricots verts, ou pour passer du terreau

à la grille, ou pour nettoyer le poulailler et il y restait des après-midi jusqu'à ce que la nuit tombe.

— J'y vais moi, je disais.

— Non, y refusait.

— Avec toi alors?

— C'est pas la peine. Tu es mieux à la maison.

Je le voyais juste pour les heures du manger, dans ces jours où il était pas à la poste. Et je comprenais pas ce qu'y pouvait rouler dans sa tête. Ça me faisait calculer, mais naturellement je pouvais me douter de rien. Il avait l'air malheureux. C'est un homme qu'il a dû beaucoup lutter. Y me l'a dit plus tard, dans ses larmes :

— J'ai beaucoup lutté, tu sais, Clarisse? Beaucoup lutté!

De ce temps y m'a rendu mon prénom de jeune fille et alors j'ai compris, mais c'était trop tard.

Sûrement que tout ça c'est arrivé de la faute de l'Alfred Simonin. Le pauvre, je peux pas en dire du mal, mais s'il était resté ailleurs, les choses ne se seraient pas terminées de cette manière. Alfred, je le vois encore quand il est venu nous visiter avec sa Ninette belle femme et sa petite Marie-Louise tout en rondeurs, que je les attendais pas, j'avais rien de préparé dans la maison, mes raisins à l'eau-de-vie je les avais finis, je leur ai rien offert, je leur ai dit : « Mon Dieu je vous reçois comme une nigaude! » J'avais un vieux tablier troué qui tombait en biberine, parce que je l'avais mis pour faire ma lessive... Enfin, quand même ça s'est bien passé.

Après, on s'est guère tellement fréquenté, sauf que

Cyprien me répétait de temps en temps et alors il avait un air gai sur la figure :

— Elle se fait magnifique, cette Marise, on croirait la Ninette à son âge. Tu te la rappelles la Ninette, si elle était belle ?

Y disait aussi :

— Son père en est fou, y l'aime mieux que sa femme.

— C'est pas pareil, je disais. C'est pas le même genre d'amour.

Moi je la rencontrais, un peu plus tard quand elle a commencé d'aller à l'école. Les fillettes, elles portaient le tablier noir de cette époque et j'ai pas tardé de voir que le sien, à peine sa dixième année, y se tendait, sur sa poitrine qu'elle se gonflait.

Un jour j'ai remarqué comme ça, sans réfléchir :

— Elle est beaucoup précoce, la Marise des Simonin. Elle sera grosse femme comme sa mère.

— C'est possible, il a dit Cyprien. Ça lui va bien.

— Si jeune, j'ai encore dit, elle est déjà formée. La Ninette c'était pareil, elle t'avait de ces seins en pomme !

— Oui, mon mari a dit.

C'est vrai que moi, des seins, j'en ai jamais guère eu. Cyprien, des fois y se moquait : « Les œufs sur le plat ! » Ça avait pas d'importance. On était d'accord quand même. Jamais on s'est disputé pour rien. Naturellement on était pas tout le temps à se lécher le portrait comme y font les jeunes d'à présent qu'ils n'ont plus de pudeur, mais ça empêchait pas le sentiment. Et s'y avait pas eu l'histoire, Cyprien aurait continué de vivre en tranquillité jusqu'à sa mort.

81

Seulement, voilà... Comment savoir le moment où tout se déglingue? Et sans doute que ça vient pas d'un seul coup, mais on se rend pas compte. Ce que je me pensais tout à l'heure au sujet de ces silences dans l'air entre le grand vent et la grosse pluie. On attend sans rien comprendre. Une fille de La Côste que j'avais prise pour m'aider à ma lessive des couvertures, à la fin de ma grossesse de Cyprienne, une fois, elle a posé le savon sur le bord du lavoir, elle m'a mis dans les yeux des yeux comme des points d'interrogation, elle m'a demandé :

— Dites un peu, madame Roman, vous que vous êtes plus instruite, vous le savez à quoi nous servons?

Je suis restée sotte :

— Ma belle, j'ai répliqué, j'en sais pas plus que toi.

— Je croyais que vous m'éclairciriez, elle a dit.

— Ecoute, j'ai répondu, le curé de la chapelle des Quatre-Vents, celui qu'il y monte que le dimanche pour la messe, c'est un qui a beaucoup voyagé dans les antipodes et moi un jour que j'avais ton âge, j'y ai posé la question. Et voilà ce qu'y m'a expliqué : « Tu as pas tant à réfléchir y m'a dit : Si tu es brave, tu montes au ciel t'asseoir à la droite de Dieu. Si tu fais le mal, tu brûles pour l'éternité dans les flammes de l'enfer. C'est tout. Fie-toi à ces principes et dors tranquille. » Je te le vends comme y me l'a vendu.

— Moi, alors elle m'a confié cette fille, j'ai deux petits d'un homme qu'il est marié, c'est le mal alors et ça m'empêchera d'aller au ciel?

— Sûrement, j'y ai dit. Y faut t'y attendre.

— Alors, déjà que je me lève le maffre et que je me tue de travail pour les nourrir, encore je brûlerai dans les flammes de l'enfer?

— Hé oui! j'y ai certifié.

— Hé ben c'est pas juste! elle a jeté. Un Dieu comme ça j'y crois pas.

— C'est juste, j'ai continué. Tu le savais bien qu'il était marié?

— Oui, seulement y me plaisait. Et y me jurait qu'y se tuerait si je me donnais pas à lui.

— Alors tant pis pour toi! Tu payeras ta bêtise.

Elle était tellement en colère qu'elle a fait tomber le morceau de savon dans l'eau, puis elle restait là à réfléchir.

— Cherche-le vite, j'y ai dit, que non pas, tu vas me le faire fondre.

Je me demande pourquoi je suis arrivée à penser à tout ça... D'une histoire ça vous mène à l'autre et après on a la tête fatiguée. »

*

« Alfred Simonin, il était si joli quand il était jeune : Clair de peau quoique bruni du soleil et des grands cheveux épais comme l'herbe des talus. Et dire que mort, il est venu si laid! C'est toujours laid ces morts, moi je trouve? Même qu'on vous dise : « Il a l'air de dormir. » Drôle de dormir! Lui, j'aurais préféré pas le voir mais je l'ai vu et s'il avait l'air de dormir sur un côté de joue, l'autre, elle était ravagée par tout ce qui l'avait attaquée dans son pourrissement et c'était un mélange de sang, de gravette, d'escargots et de vers de terre. Quelle horreur ce que la mort peut faire d'un homme !

La pauvre Ninette, avec ses deux malheurs qui lui sont tombés dessus en même temps, elle était plus molle qu'une pièce à frotter, y fallait la tenir sous les bras pour pas qu'elle s'effondre. Des catastrophes comme ça, on se demande comme ça vous tue pas les gens ? Pourtant elle a résisté, elle est retournée à Apt, elle a élevé son dernier, son Hugues que c'est un encore plus beau garçon que le père. Sûr qu'après le drame, quand elle a eu la congestion cérébrale puis la paralysie et qu'elle pouvait plus faire son travail, les mauvais moments elle les a supportés et jamais elle s'est doutée d'où y lui venait toute cette aide, que ça m'envoyait à Aix pour y mettre les mandats anonymes.

Qu'est-ce que je pouvais faire ? Ni le bien ni le mauvais. Et complice, je sais bien que je l'ai été, mais sans que ma volonté y soye pour quelque chose, parce que la manière dont ça s'est passé...

O mon Dieu ! Alors jamais je me les lèverai de dedans la mémoire, ces événements ? Je les porterai jusqu'à ma dernière heure, même si je vais jusqu'à ces cent ans que tous y me prédisent ? J'aurais dû ouvrir les yeux plus tôt, me rendre compte, surveiller Cyprien ; oui c'est sûr j'ai été trop naïve, on m'aurait écrit cé-o-ène sur le front que je m'en serais pas aperçue, il a fallu que mon mari me fasse la confession entière et à un moment où on a plus la force de mentir.

Mentir ? Au contraire. A ce moment on doit plus le pouvoir. On doit se dire qu'y faut se débarrasser de tout le paquet qu'on s'est ramassé au long de son existence, que ça vous aidera à vous sentir léger pour monter s'asseoir à la droite de Dieu, parce que peut-être Cyprien, il y croyait à la chose du ciel, quand même qu'y rigolait quand madame Bugeaud elle allait communier pour Pâques et qu'y grognait en la regardant, confite dans ses dévotions :

— C'est commode, ces manières ! Tu mènes ta vie à ton plaisir, tu chipes les melons dans les champs des voisins, tu secoues les poiriers pour faire tomber les poires qu'après tu les ramasses sur le chemin, l'air d'être dans ton droit, tu couches avec Mastre ou le plus jeune des Pessegueux, enfin avec qui ça te plaît, tu dis du mal de tout le monde et puis après tu t'assieds dans le fauteuil de la confession et tu gagnes ton éternité. Ah, il est brave, leur bon Dieu !

Pauvre Cyprien ! Y se doutait pas que son tour viendrait de mal faire, encore bien plus mal, mais le fauteuil, lui, il ne l'a pas eu. »

« Parce que cette confession, ce n'est pas au prêtre qu'il l'a faite, c'est à moi seule et il a fallu que le dernier moment de vie soit arrivé pour lui. Alors je pense qu'y lui a pris une peur terrible d'enfermer ce secret avec son corps entre les planches du cercueil. Il a dû avoir crainte que la plante de lierre qui enguirlande sa croix, par ses cent feuilles elle crie la vérité au monde entier. C'est pourquoi, cette vérité, il me l'a mise tout entière et intacte dans les mains, comme l'œuf que je prends dans le nid et qui n'a pas une fêlure.

En parlant d'œuf, je pense à ce que madame Bugeaud m'a raconté de la drôle de manière qu'une grand-mère a eu, de soigner le petit de sa voisine qui avait pris un coup de soleil, en faisant une course à vélo en pleine chaleur. On était là, y paraît, à se désespérer de pas savoir comment ramener le frais dans une tête qui restait brûlante et que le petit tournait de tous les côtés, en gémissant. Alors la vieille Chenevière qui habite la même rue, elle est venue, y paraît, avec l'expérience de ses quatre-vingt-un ans et elle a dit :

— Donnez-moi un œuf.

Tout le monde était dans la surprise qu'elle veuille

lui faire manger un œuf. On est quand même allé le lui chercher. Alors, après, elle a dit :

— Donnez-moi du coton.

On lui a obéi parce qu'on la respecte. Alors elle a fait asseoir le petit, elle lui a écarté les cheveux et sur le dessus du crâne, qu'on l'appelle le calotton ou la fontanelle, enfin là où, chez les nouveau-nés on sent palpiter le commencement de la vie, elle lui a étendu la couche d'ouate et elle a cassé l'œuf au milieu, avec bien de délicatesse. Et tout le monde autour, la mère pleurante, le père, la sœur aînée, ils ont vu la glaire de l'œuf se mettre tout doucement à bouillonner, à faire « floc floc » elle dit, madame Bugeaud, et devenir blanche, pareil que celle de l'œuf dur. Et quand ç'a été cuit comme tu aurais cru sur le feu du fourneau, la vieille Chenevière elle l'a enlevé, cet œuf et le petit était guéri. Et ce qu'y a de plus extraordinaire, c'est que la chienne Gypsis, une brave bête de beau poil noir qu'elle adorait l'enfant et que, notez ça, d'habitude elle adore les œufs, celui-là elle a refusé de le manger. C'est quand même des choses qui vous surprennent, tu avoueras ? « Le mal était passé dans l'œuf », assure madame Bugeaud. Et après tout qui sait si ce n'est pas possible ? Nous savons rien de rien, pauvres que nous sommes ! Je vois que, pour mon compte, si je me mettais à parler, y en a beaucoup qui seraient stupéfaits.

Comme le curé de La Côste quand on est venu le chercher pour la fermière des Avons que, depuis le soir, elle était en agonie, morte déjà pour dire le vrai, puisqu'après le milieu de la nuit, elle a juste eu la force de soupirer à son fils Marcelin : « Va me chercher le bon Dieu, je veux pas m'en aller comme ça. » Puis elle est retombée dans son coma. Marcelin part dans la nuit, dans le noir, comme un fou, il monte à La Côste que c'est pas rien pour venir du bas de la plaine où y a les Avons. Le curé lui dit :

— J'y descends tout de suite avec les saints sacrements.

— Je vais chercher ma sœur pour qu'elle l'habille, Marcelin dit alors.

— C'est bon, dit le curé, j'y serai avant toi.

Il se met en route par la pierraille trempée d'eau, sous l'averse qui lui fouette la figure ; il arrive aux Avons que juste les premiers rayons du jour éclairent la route, là, y remarque de la fumée qui sort de la cheminée, y pense que quelque voisine est venue veiller, il réfléchit qu'il va trouver la morte morte et que son secours sera inutile. Il entre et qu'est-ce qu'y voit ? Toute habillée, toute debout devant son âtre, la fermière elle-même, la femme, l'agonisante, et qui lui dit :

— Excusez-moi monsieur le curé, je me suis trouvée mieux. Alors comme mon fils était pas là, je suis allée ramasser un fagot, j'ai allumé le feu et j'ai fait le café. Je pense que de le prendre, ça vous reposera de votre peine. Surtout que vous vous êtes dérangé avec un gros mauvais temps.

Le curé, il en revenait pas ! Y avait de quoi. Elle a vécu encore dépassé dix ans. C'est pas plus croyable que l'histoire de l'œuf. Dans ces campagnes il y a de drôles d'événements et dont les journaux des villes ne parlent

88

guère. Sauf quand c'est grave. Comme le drame de la petite Marie-Louise. Ça oui, forcément on en a parlé. De reste! Pendant assez longtemps. Et moi, les histoires des autres je me les ressasse comme si ça pouvait me faire oublier les miennes. Et ça me sert à comprendre que chacun a ses malheurs et que l'existence, elle est pas une rivière qui coule, tranquille, entre deux bords bien réguliers.

C'est égal, quand on me trouvera, muette pour l'éternité, dans ma chambre de La Côste, car c'est là que je mourrai sûrement, seule une nuit? Parce que c'est presque toujours la nuit, vers les trois heures du matin qu'on passe, comme si le nouveau jour se refusait à vous recevoir, on sera joliment étonné de découvrir l'enveloppe de mon testament et de lire : « Saine de corps et d'esprit (c'est ça qu'on doit mettre), je déclare laisser tout mon bien, c'est-à-dire mon cabanon de Drailles avec son terrain autour et ma maison d'en ville avec ses meubles et son linge et mes sept actions du Crédit Foncier que je les ai dans le premier tiroir de ma commode, à monsieur Hugues, Alfred, Jean Simonin, fils d'Alfred Simonin et de Ninette Bonnieux, décédés. Signé Clarisse Barges, épouse Cyprien Roman. »

Oui, les gens seront surpris et encore plus lui, ce garçon que l'hasard est venu me le mettre aujourd'hui devant les yeux. On comprendra pas et tant pis, c'est ce qu'y faut et si on pense que j'ai été folle, encore tant pis. C'est mieux que si on devinait les choses. Mais qui pourrait deviner, à présent que tant d'années ont glissé là-dessus? Et puisque personne, pas même ceux de la justice, ils ont rien deviné à l'époque ? C'était tellement naturel que Cyprien il y aille tous les jours chez les Simonin, puisqu'il y avait le journal *L'Agricole,* qu'ils y étaient abonnés, à leur porter ? Et y les cachait pas, ces visites forcées, y me disait :

— Y avait l'Alfred ce matin, y s'est entaillé dans la main avec un lien de roseau à massue. On a bu le coup ensemble.

Une autre fois y me disait :

— Ils étaient tous partis couper des tiges de saule pour encercler. Y avait que la petite Marie-Louise. Elle est gracieuse et bien dégourdie pour ses douze ans. Ça sera une belle fille.

Des fois y me parlait pas d'eux, mais plutôt de ceux qui le faisaient monter jusque derrière les ruines du Castillon, pour un avis des assurances ou du percepteur. Alors il était en colère. Mais quand il avait vu la petite Marise, qu'elle était pas à l'école ou dehors avec ses parents, alors il portait un air de plaisir sur la figure que, si j'avais été plus intelligente, j'aurais dû le remarquer.

J'ai rien compris, je l'avoue, même pendant un de ses congés, où y m'a dit :

— Je vais aux saules avec l'Alfred. Je resterai la journée.

Moi je lui ai fait remarquer :

— Du travail, tu en as pas assez pour nous ? Tu as le bois à couper. Et le cabanon, tu dois toujours y recrépir le mur de derrière ? Et pour ça tu as jamais le temps…

— Une autre fois, y m'a répliqué.

Et il est parti. J'ai fait la tête, ça a servi à rien.

Il aimait beaucoup d'aller aux saules. Y faut dire que c'est des genres d'arbres plutôt extravagants. Tu sais jamais s'y sont vivants ou morts. D'ailleurs, tu en as qui sont vivants d'un côté et morts de l'autre, alors y a une grosse branche à peau blanche, toute veinée comme celle d'une couleuvre et qui se détache devant le reste qui est tout en dessèchement. Y en a un qui est noir, tout entier et tout écartelé et brûlé dans l'intérieur de son écorce. Le feu du ciel a dû y tomber dedans. Ça semble un monstre. Puis après, au bord du ruisseau, tu as une longue rangée de ceux qui sont bien portants et qui par cinq, six troncs énormes, élancent, de la terre vers en haut, des rameaux fins et souples avec des petites feuilles bien arrangées en ordre, toutes d'un vert doux. C'est ça qu'il coupait, Simonin, pour encercler ses paniers et dire que c'est là-dessous, dans l'herbe, qu'on a découvert le corps de la petite Marise, depuis la veille au soir qu'on la cherchait et il était renversé sur le dos et il trempait dans l'eau boueuse du ruisseau avec des tiges de menthe mélangées à ses cheveux et à cette écharpe de cou qui avait servi à l'étrangler. C'est pour ça qu'on a pas pu trouver ce qu'ils appellent des empreintes qui dénoncent l'assassin.

Ah, y le faut à la fin des fins, que j'arrive à y penser directement, à ce grand malheur. Je renvoie je renvoie... je me fais croire que mon coulis de tomates ou les histoires de madame Bugeaud, ses rêves, ses bavardages d'œuf sur la tête du garçon malade ou la course inutile du curé, ça m'intéresse davantage, mais c'est pas vrai. Y a ça et toujours ça dans ma tête depuis des années et des années et qui doit demeurer enfermé sous les tresses nouées de mes cheveux et qui, jamais, doit sortir par ma bouche. La parole de vérité m'est interdite et d'ailleurs, ça servirait plus à rien maintenant, puisque tous sont morts. Celui qui reste, y vaut mieux qu'il ne sache rien. Mais l'oublier c'est une chose impossible.

Toujours je me rappellerai quand Ninette Simonin a frappé à ma porte : Elle tenait toute l'entrée avec son gros ventre. La nuit tombait... c'était l'automne, il avait plu, elle me demande :

— Vous auriez pas vu Marise ?

— Marise ? je dis. Non. Pourquoi ?

— Je suis inquiète. Jamais elle rentre si tard, son père est allé couper des rameaux de saules, puis il est parti en emportant la dernière charge et elle est pas encore revenue à la maison.

— Elle serait pas allée à l'Endre, non ?

— O non, sûrement ! Elle voulait seulement cueillir des veilleuses, elle a dit à son père, que le pré en était plein et qu'elle finissait tout de suite. Lui, y s'en est pas soucié. Vous connaissez les hommes ? Ça se fait jamais de mauvais sang. C'est pas comme nous autres... Il est allé faire le tour par le vieux pont et le lavoir couvert, pour voir s'il trouverait encore un peu des roseaux à couper, mais y en avait plus. Alors, quand il a été de retour il a dit : « Et Marise ? — J'y ai dit : « Elle est pas avec toi ? » Il a dit : « Non. Je l'ai laissée sous les saules. » J'y ai dit : « Retournes-y. » Il y est encore, mais moi, pendant ce temps, je me ronge de souci. Et c'est pour ça que j'ai eu idée de venir voir si vous auriez pas vu ma petite ?

J'ai répondu :

— Hé non ma pauvre! O mais, ne vous en faites pas. De sûr Simonin va la trouver dans la cueillaison de ses fleurs... Vous savez, d'une à l'autre, d'une à l'autre, le temps passe et on se rend pas compte.

— Votre mari est pas là? elle a demandé encore.

— Non, mon mari j'ai dit, il avait du courrier pour la montagne et pour les gens du château.

— Mais je crois qu'ils y sont pas? elle a dit.

— J'en sais rien, mais peut-être il y est allé.

Ç'a été toutes les paroles, après elle est sortie, moi je me suis occupée d'une soupe d'épeautres que j'avais mise sur le feu et que si tu la laisses brûler, c'est une odeur de l'enfer. Mais c'était pas la peine que je la surveille tant, parce que ce soir-là, ni les Simonin, ni Cyprien, ni moi nous avons rien mangé. J'ai attendu seule plus d'une heure, la pluie tombait, je comprenais pas ce qu'y pouvait bien être arrivé, mais je me sentais comme une estrasse mouillée, serrée autour de la poitrine sans en savoir expliquer le pourquoi.

*

Oui, qui sait si le destin ne vous parle pas y a des fois? Et qu'on ait les oreilles bouchées plus qu'avec de la cire? Enfin quoi qu'il en soit, c'est guère plus tard que mon mari est rentré et tout de suite y s'est assis sur la première chaise. Et voilà la conversation que nous avons eue :

— Bonsoir, j'y ai dit, tu as l'air fatigué?

93

— Je suis monté aux Trois tours pour rien, il a dit, j'ai attendu plus d'une heure. Les Monsieurs du château étaient pas là.

— Et les fermiers?

— Non plus. Donne-moi un verre de marc. Je me sens mal au cœur.

J'y ai obéi, je le voyais blanc et les traits tirés.

— Où ils étaient, les fermiers? j'ai demandé.

— Dans les champs. Y avait que le chien. Y fallait que j'attende, j'avais une lettre recommandée. Y m'ont donné l'adresse pour faire suivre.

— Mais tu le savais bien que les Monsieurs des Trois tours, y devaient partir pour faire la cure à Vichy?

— Non.

— Pourtant on l'avait assez dit dans le village?

— J'ai rien entendu de ce sujet. Sinon tu t'imagines que je serais monté si haut pour rien? Par ces chemins pierreux que, regarde, je suis tombé dans les ronces, je me suis écorché le dessus de la main.

— O c'est vrai, tu saignes!

— C'est rien. Personne est venu me demander?

— Comment? Quoi? Pourquoi personne?

— Ben je veux dire... La receveuse par exemple, de pas me voir rentrer? Surtout qu'avant, j'ai perdu un moment à aider l'Alfred à faire ses fagots de branchettes de saules. Mais j'y suis guère resté, à cause que je devais monter aux Trois tours, comme je te l'explique.

— Y avait bien sa Marise avec lui?

— Oui. Je crois qu'elle était par là... Je suis pas resté longtemps.

— Eh ben, sa mère est venue y a un moment, demander si on l'avait pas vue, parce que figure-toi qu'elle était pas rentrée.

— Comme, pas rentrée?

— Son père l'a laissée aux saules. Elle cherchait des veilleuses, tu sais, des colchiques, dans le pré? Lui, il est parti avec sa charge, y s'est plus inquiété d'elle et tout à l'heure elle était pas rentrée à leur maison.

— O, depuis elle a dû revenir...

— Si tu allais voir? C'est des braves gens, Ninette était dans l'inquiétude.

— Ça lui aura passé, va! Moi, je suis malade, je vais me coucher.

— Tu veux pas manger?

— J'ai pas faim.

— C'est vrai que tu trembles tout?

— Je suis malade, je te dis. Tu comprends pas?

— Tu saignes toujours de ton dessus de main?

— Non, ça s'arrête.

— On croirait que des ongles t'ont accroché...

— C'est les ongles des ronciers. Je me suis foutu en plein milieu d'un buisson.

— Tu te l'es lavé au moins?

— Oui, mais donne-moi d'eau que je me le lave encore. Avec un peu de Javel.

— Ça va te cuire.

— Je m'en fous.

— Tu es bien énervé?

— Hé, c'est cette course! Tu te rends compte, toi, monter jusque là-haut pour rien? Deux heures aller-retour, c'est quelque chose, surtout que la pluie s'y est mise.

Et c'est vrai que son bas de pantalon était tout boueux.

— Ça m'étonne que tu te rappelais pas que les Monsieurs étaient à Vichy? Et l'adresse pour faire suivre, ils avaient dû la laisser à la receveuse? Tu lui as pas demandé avant, à madame Roubieu?

— Non, j'y ai pas pensé. J'ai vu la lettre, je suis monté.

— D'habitude tu réfléchis mieux.

— Je devais être déjà malade, je veux aller me coucher.

— Va te coucher, j'ai dit. Je te porterai une infusion de sauge.

Il est allé dans la chambre alors, mon mari, et je le regardais qui marchait comme un vieux de quatre-vingts. « Il est plus guère capable de faire le métier, je pensais, heureusement que bientôt il aura la retraite. Une course pareille dans la montagne, y a pas longtemps qu'y la faisait en chantant, mais c'est vrai que depuis quelques mois, il est comme qui dirait neurasthénique et peut-être il a un mal qui le ronge, un genre de cancer? »

Oui, voilà ce que je me disais toute seule, en jetant les six feuilles de sauge dans l'eau bouillante et en me demandant si j'allais pas bientôt être veuve? Après j'y ai porté la tisane, je l'ai aidé à boire; sa main avait comme des convulsions, j'y tenais le bol, je me répétais en dedans : « Eh ben, mon pauvre Cyprien des Balandres, toi qui étais tant fier de ta force, tu es beau ! » Enfin je me rassurais : « Demain matin ça y aura passé, après une bonne nuit de sommeil. »

Je fais ma vaisselle, je range ma cuisine comme d'habitude, je couvre le feu, je vais pour me coucher, voilà qu'on frappe à ma porte :

— O, je dis, qui est là ?

— C'est moi Mastre ! une voix me répond.

— Mastre ? je répète. Et qu'est-ce que vous voulez à cette heure ?

— Ouvrez-moi, y demande. J'ai à vous parler.

J'ouvre. Je me vois devant un homme pâle comme un clair de lune et tout troublé. J'y pose la question :

— Qu'est-ce qu'y a ?

Il entre, y s'assied sur la première chaise dans la cuisine, pareil que Cyprien avait fait.

— Y a un malheur, y dit.

— Un malheur ?

— Oui, un gros malheur que ça me lève la parole.

— Et quoi ?

— C'est rapport à la petite Marise des Simonin, on vient de la trouver. Elle était dans le ruisseau des saules. Elle est morte.

— Morte ? je crie.

— Morte. Noyée dans l'eau.

— Mais y en a pas un demi-mètre ? je dis.

— Elle est pas morte par l'eau. Elle a été étranglée avec son écharpe de cou.

— Pas possible ? je crie encore.

— Possible, malheureusement !

Et cet homme, ce Mastre, rond comme les pains de campagne et si calme d'habitude, y se met à pleurer. Et y gémit :

— O, y me semble que c'est la mienne !

Moi, je reste sur place, pareil qu'un santon et je dis encore une nouvelle fois :

— C'est pas possible...

Mastre y relève la tête, y demande :

— Et Roman ?

— Il est couché, je dis, il est revenu malade du chemin des Trois tours. Juste y rentre. Je lui ai donné l'infusion de sauge.

— Appelle-le. Y faut qu'on se mette tous pour trouver le salaud qui a fait ça.

« Peut-être y dort ? je pense. Et juste qu'il est malade... »

Mais je comprenais qu'il fallait quand même le réveiller. Je vais à la chambre qu'elle est au fond du couloir :

— Cyprien ? j'appelle.

Y répond pas. Je me vois derrière, Mastre qui m'avait suivi.

— Roman ? y jette.

Cyprien répond pas. Je dis :

— Il est abruti de sa fatigue.

— Tant pis, dit Mastre. Y faut qu'y vienne avec nous. Les Simonin c'est nos amis, on peut pas les laisser comme ça, seuls dans la peine.

Je m'approche du lit, j'attrape le bras de mon mari :

— Hé Cyprien ! je crie plus fort. Y faut te réveiller,

il est arrivé un gros malheur. Les Simonin c'est nos amis.

— Oui, on a besoin de toi, ajoute Mastre.

Mon mari ouvre des yeux qu'à peine on en voyait la couleur sous la lumière. Y regarde Mastre. Y dit :

— Quoi?

— Vous voyez, je dis, il est plus vert qu'un mort.

— Vert que vert, dit Mastre, y faut qu'y se lève! Roman, tu sais pas, la petite Marise, y a un bandit qui l'a étranglée dans le ruisseau des saules et elle s'y est noyée.

— Quoi? y répète.

— Oui, la petite Marise des Simonin. On vient de découvrir son corps sous le gros paquet des menthes d'eau. C'est le neveu Pessegueux qui est allé à la recherche avec l'Alfred et toute renversée et étranglée avec son écharpe de cou, ô mon Dieu la pauvre...

Ce Mastre, y se remet à s'étouffer dans les sanglots.

— Tu crois pas, quel malheur? je dis à Cyprien.

— Y faut te lever, il dit Mastre. Nous devons aller faire une battue. Prends ton fusil de la guerre, je prends ma carabine, y aura Pessegueux et nous. Y faut qu'on trouve le salaud et qu'on l'abatte comme un sanglier.

— Et Simonin? demande mon mari.

— Y se tient pas sur ses jambes. La Ninette s'est évanouie trois fois. Y sont tous fous de douleur. C'est à nous de faire les choses et d'aider la justice.

— La petite, on l'a rapportée? dit mon mari.

— Oui, les voisines allaient y commencer la toilette... les gendarmes sont venus et ils étaient pas contents. « Vous deviez pas la toucher, ils ont dit. Maintenant comment on fera pour les empreintes ? »

— Ah oui, y a les empreintes... répète mon mari.

— On leur a dit : « Qués empreintes ? Elle était dans le ruisseau. Les empreintes, l'eau les a emportées pendant le temps qu'elle lui a coulé dessus.

— Pauvre petite ! Si jolie ! je soupire. Si dégourdie !

— Puisqu'y faut que j'y aille, dit mon mari, j'y vais. Mais je suis malade tu peux le voir. Je vous rendrai guère service, tu sais, Mastre ?

Moi je le regardais, il avait un visage de marbre, je pensais : « Comme c'est drôle... Je l'aurais cru beaucoup plus sensible. Cette Marise il avait l'air d'avoir d'amitié pour elle. Des fois y me disait : "Si notre Cyprienne avait eu ce genre de gentillesse, ça m'aurait crevé la poitrine de la voir partir à Paris, mais elle était pas pareille. Cette Marise, tu sais, elle me met des fois les bras autour du cou". » Je riais, je lui faisais remarquer : « Heureusement que tu es vieux, sinon on pourrait croire... — Que tu es bête ! » y répondait. Et maintenant j'étais stupéfaite de lui voir si peu d'émotion et je trouvais qu'y prouvait un drôle de manque de cœur.

— Y faut que tu ailles avec les autres, j'insiste en lui donnant ses habits. Moi je cours chez Ninette. C'est des cas que l'affection elle doit se montrer.

Cyprien, il est sorti avec Mastre et moi de mon côté je suis allée chez Simonin. C'était onze heures. Y faisait noir partout, la pluie s'était remise à tomber. La tristesse de ce soir-là, je vivrai cent ans comme ils disent, que jamais je pourrai l'oublier.

Cette veillée ç'a été une chose... Et encore! Enfin, n'en parlons plus. L'Alfred, il était en paquet dans leur vieux fauteuil d'osier, que de lui-même y l'avait fabriqué étant garçon, quand il avait déjà le goût de faire les paniers. Et tout de travers il était, ce fauteuil, avec ce pauvre homme tout de travers dedans et les bras abandonnés en dehors et les jambes tout ouvertes. Et de temps en temps y jetait un hoquet, parce qu'il arrivait pas à pleurer comme il aurait voulu.

*

Comme ça il s'est passé un temps que, pour dire combien il a duré, c'est pas possible. Ninette, on l'avait couchée dans son lit et tantôt Pauline Mastre, tantôt moi, nous montions à la chambre nous asseoir à son côté, un peu savoir dans quel état elle se trouvait. Et c'était pas drôle. Elle se relevait d'un coup sur le lit :

— Y faut que j'aille chercher ma petite, elle disait, qu'elle est pas rentrée et que je suis inquiète.

Et ça d'une voix claire, pareille la véritable voix de tous les jours qui vous sert pour le ménage et le travail. Puis, elle écarquillait des yeux de folle, elle se prenait la tête à deux mains, elle se tirait les cheveux dans les doigts, elle criait :

— Ma fille! Ma fille! Mon Dieu ma fille!

Sa langue s'embrouillait dans sa bouche qui restait ouverte comme un trou de grotte et qui lui laissait couler la salive sur le menton. Elle se griffait les joues avec ses ongles, que nous lui disions, nous autres :

— Allez, Ninette ma pauvre! Calme-toi...

Et nous lui prenions les mains pour les lui tenir serrées, pour qu'elle se fasse plus de mal. O, qué misère de voir des choses pareilles! Les dents lui claquaient l'une l'autre, elle nous arrachait ses poignets pour se les mordre, puis encore, d'un coup, elle tombait dans une immobilité qu'elle semblait être morte et enfin elle pouvait pleurer. Alors, elle pleurait que les larmes lui trempaient la figure et elle jetait des hoquets, des « Ho » et des « Ho » à te fendre le cœur en quatre. A la fin elle retombait sur son traversin et une de nous, Pauline Mastre ou moi, nous redescendions près du corps de Marise, puisque nous servions plus à rien à côté de sa mère.

Et là, alors, c'était un enfer d'un autre genre. De Simonin je veux pas m'en parler, parce que lui, on aurait dit un sac de plâtre. Effondré de travers dans son vieux fauteuil, sa tête toute renversée en arrière, les yeux juste marqués d'une fente qu'on pouvait pas en rencontrer le regard, les mains jointes sur la poitrine que, de sa chemise mal boutonnée, un peu de poil noir passait et puis ses jambes droites, ses genoux raides, ses pieds dans ses souliers bien rangés et pas un mouvement, à peine une respiration que tu l'entendais guère, lui aussi on l'aurait pu croire mort comme la Ninette... Y en avait qu'une, que morte elle s'en donnait pas l'air. Et c'était la vraie, c'était la petite Marise, allongée qu'elle était sur un canapé, avec ses beaux cheveux encore tout frisés par l'eau que des gouttes en tombaient par terre, les yeux fermés et sa mince écharpe bleue enroulée autour de ses marques du cou, que les gendarmes avaient défendu qu'on y touche.

Et d'abord y en avait un qui restait assis à son chevet et il avait dit qu'il attendait le médecin légiste.

Vous pouvez vous croire que c'est pas drôle des nuits comme ça et encore je savais pas ça me promettait à la suite. Parce que celle-là, de nuit, elle a été pareille à ces mères lapines qui te font des petits un après l'autre, un après l'autre, jusqu'à la saint-glinglin et que tu arrives plus à les démêler!

A la fin, le clair du matin a fait sortir du noir le carré de la fenêtre que Pauline Mastre l'avait voilé d'un morceau de sac et qu'elle en avait enlevé les trois pots de géranium rouge que Ninette aimait tant de les voir fleurir. Le médecin légiste, il est venu faire sa constatation. Moi j'ai pas pu rester là, le cœur me levait, Pauline elle a eu le courage. Après, elle est venue me retrouver, j'étais près de la mère, je suis sortie sur le palier, Pauline m'a dit à voix basse :

— Elle a bien été étranglée, le monsieur y l'a certifié.

— Et alors? j'ai demandé.

J'en avais le frisson dans la moelle des os.

— Alors, y va faire prendre le corps pour qu'on le porte à la morgue, à l'hôpital de La Côste. Et on y fera l'autopsie.

— L'autopsie, pourquoi? j'ai encore demandé.

Pauline m'a fait signe de me taire, en jetant la main en avant et elle a soupiré encore plus bas :

— Dieu garde que la mère l'entende. Y suppose que la pauvre petite, elle aurait été violée.

— Sainte Vierge! j'ai crié dans mes doigts sur ma bouche. Violée? Une nistone de douze ans! Qué salaud aurait été capable?

— Quelque chemineau peut-être? Ou un de ces chômeurs agricoles qui courent les fermes. Enfin, on va savoir.

A ce moment, Ninette a bougé et nous sommes toutes deux revenues dans sa chambre et nous avons rien su faire d'autre que de pleurer.

*

Oui, on dit « Une nuit pareille c'est terrible... Hé ben, c'est encore rien à côté des lendemains. Quand tu vois que tout repart à zéro dans la nature et dans le village, que le géranium rouge il a ouvert tous ses boutons, que la scie du coupeur de bois recommence à te siffler dans les oreilles, que l'épicière sort sa caisse à savons sur le seuil de son magasin et qu'elle s'assied dessus pour continuer à tricoter le pull-over de son mari, que les grands nuages s'étirent pour laisser passer un soleil qui vous fait penser : "Quelle beauté!" et que tu peux pas t'empêcher de trouver la vie bonne, c'est épouvantable de sentir tout à coup une pointe comme un clou te rentrer dans la tête et te mettre dedans cette histoire terrible, impossible à oublier. Et on est pas seule, forcément, à se la rabâcher; y a tout le voisinage qui, même s'il continue ses occupations habituelles, a toujours, dans le fond de sa pensée, le drame de la veille. Et les opinions varient des uns aux autres. Qui dit que la petite était coureuse de nature comme sa mère jeune et qu'elle a dû se prêter à l'amusement avec quelqu'un de ces chômeurs d'en ville, comme on a déjà supposé, qui cherchent soi-disant du travail mais plutôt du vin à boire et une poule à estourbir... Et qui dit que le père n'a pas fait assez attention à elle et qu'il aurait pas dû la laisser dans le pré... Et qui dit que la Ninette aurait mieux fait de s'en occuper... Enfin, mes pauvres amis, quoi qu'on aye bazaretté, le surlendemain on a su exactement ce que la chose avait été et la belle petite Marise, y a plus eu qu'à l'enterrer.

Cyprien n'a pas eu la force d'aller au cimetière. « Je suis malade », il répétait toujours. Et les gens disaient que ça lui avait fait une grosse émotion. »

« Le cimetière de chez nous, il est très beau. Je te dirais pas que ça donne envie d'aller y pourrir, non, pas jusque-là. Mais c'est vrai qu'y a des gens qui viennent même des pays étrangers pour le visiter, à cause de ses longues allées de cyprés taillés en arcades et entourant les carrés de tombes. Et comme y a beaucoup d'arbres, naturellement y a beaucoup d'oiseaux et le soir, au moment de se brancher, y te font des concerts mieux que la fanfare Saint-Eloi quand elle joue sur la grand-place. Alors, c'est vers ce cimetière qu'on a porté le corps de la petite Marise et tout le pays était derrière, après le pauvre Simonin que ses parents d'Apt le tenaient par les bras ; puis Mastre, les neveux Pessegueux, tous les collègues, sauf mon mari. Et puis ceux des fermes des environs à qui l'Alfred livrait des paniers pour leurs fruits. Nous, les femmes, nous suivions le groupe des hommes. Moi, j'ai jamais beaucoup aimé d'aller aux enterrements, mais dans un malheur pareil, auprès de la famille et encore plus à cause de l'absence de Cyprien, je pouvais pas faire autrement. Alors je marchais avec Pauline et nous évitions de nous regarder parce que c'était tellement triste que les larmes nous auraient sauté des yeux toutes seules.

Et pourtant y faisait un temps magnifique. Allez juger... L'avant-veille il avait plu, un vent du diable s'était levé qui nous emportait les tuiles du toit et qui nous jetait des gravettes à la figure et puis tout d'un coup on aurait pu se croire que le printemps nous préparait l'été. La température, dans notre Midi, elle est guère stable, tu as de ces régions du Nord où il te pleut dessus, chinchérin-chinchérin pendant des semaines entières. Même à Paris on raconte, que moi j'y suis jamais allée, qu'y a une pluie que pour ainsi dire tu t'en aperçois pas, tu la sens pas, tu sors sans prendre le parapluie parce que le ciel, ça dure des mois qu'il est gris la même chose et puis tu vois que tu es toute mouillée : les épaules, les jambes, les pieds. C'est comme ça. Nous ici, non. Ou y pleut ou y fait beau. Mais alors s'y pleut, ça tombe à rage, pareil qu'avec des seaux! Ça noie les plantes, ça emporte les semis, ça dévaste les jardins et ça tire au sol les branches des arbres. Y a la grêle, y a le tonnerre! Pendant l'hiver j'en ai vu de ces orages, gronder tandis que la neige tombait... Oui, c'est drôle, c'est un pays, notre Provence, que même les choses de la nature elles ont trop de passion. D'un coup, le soleil il écarte les nuages tu croirais avec les coudes et ceux-là, les nuages, on dirait qu'ils ont peur, y fichent le camp en vitesse et alors tout devient bleu, d'un bleu d'image de la Vierge et les montagnes se découpent devant, en arrondis qui se suivent, comme la coulée de la Laye dans ses endroits calmes.

Oui, voilà le beau temps qu'y faisait le matin où nous avons suivi le corps de cette pauvre petite Marise vers le cimetière. Et nous étions tous beaucoup tristes et y avait de quoi... Douze ans qu'elle allait avoir et déjà belle et ronde aux bons endroits, pareil qu'une femme. Et dégourdie, sachant aider sa mère au ménage, bien apprenant à l'école, s'y connaissant autant que les vieilles dans les points du tricot, ah! oui, des qualités elle en avait et elle était charmante avec ça.

De la descente dans le caveau j'en parle pas. C'est trop épouvantable. Simonin, il a fallu l'aider à s'en aller, c'était une chiffe molle, tombé sur la terre à deux genoux, y s'en remplissait les ongles en la griffant. Nous autres, avec Pauline et les femmes, nous avons bien mis d'ordre dans les couronnes qu'y en avait cinq, entre celles de la famille et celles des voisins. Et après nous sommes parties, nous aussi, qu'est-ce qu'y faut faire? Et tout le long de la route qui remène à La Côste, Pauline me répétait :

— Si je connaissais le salaud, je le tuerais de ma main. Avec la hache que je coupe le bois! elle répétait encore. Ou avec mon couteau que je saigne mes lapins.

Moi je me taisais, j'avais un nœud de nerfs dans le milieu de la gorge. J'étais humiliée que Cyprien soit pas venu à l'enterrement. Y me semblait qu'il était pas malade au point de pas faire l'effort et que tout le monde pensait comme moi. Quand je suis rentrée à la maison, Pauline Mastre m'a dit :

— Espérons que ton mari va vite se remettre.

Et je lui ai trouvé un drôle d'air, un peu humiliant. Oui, c'est sûr que Cyprien il a passé pour un péteux que les choses de la mort lui faisaient peur et je dois avouer que moi aussi, je le croyais.

Alors, quand je suis rentrée, je l'ai trouvé le drap sur la

tête et quoique ce soit guère délicat de parler de ça, y s'était vidé les intestins dans le pot de chambre et il a fallu tout de suite que j'aille tout déverser dans la fosse au fond de la cour, parce que ça empestait. On aurait dit qu'il avait eu un bouleversement de ventre. Et c'était bien ça, depuis j'ai compris. Mais à ce moment, qui aurait cru?

J'ai fait aérer, je lui ai préparé une tasse de fenouil et je lui ai dit :

— Reste au lit, je te porterai le dîner.

Il a pas répondu. Moi je suis descendue faire ma cuisine pour le midi, que l'avant-veille j'avais mis des pois chiches à tremper, mais jamais ils auraient pu être cuits, alors j'ai fait un ragoût de pommes de terre. Y faut toujours finir par manger.

Mais lui, Cyprien, ce que je lui ai porté, il l'a pas voulu et en lui rangeant le lit, qu'est-ce que je m'aperçois? Que son traversin était tout mouillé. J'ai compris qu'il avait pleuré... Et pas guère. J'y ai mis dessous un torchon propre et j'ai demandé ;

— C'est pour la petite que tu as de peine?

Il a baissé la tête deux fois sans répondre.

— Tu l'aimais beaucoup? j'ai encore insisté.

— Oui, beaucoup, il a dit cette fois.

— Je te comprends, j'ai dit. C'est bien malheureux. Mais qu'est-ce que tu veux faire? La vie, y faut l'accepter comme elle est.

Puis j'ai ajouté :

— Dors, ça te fera du bien. Moi je vais finir mon lavage. Je monterai te voir vers le soir.

Et je suis redescendue parce que j'avais du travail.

Du travail j'en ai toujours. Je sais pas comment les femmes d'en ville passent leurs journées, parce que moi, une ville, une vraie, je l'ai jamais habitée. La Côste c'est ni ville ni village. Sûrement y a un maire, un conseil municipal, un bureau de poste, un hospice pour les vieux, deux salles de cinéma et un commissariat de police, mais quand même c'est pas assez grand pour que tous les gens se connaissent pas, ce qui fait que les événements, y courent d'une rue à l'autre et y se glissent par les ruelles voûtées, jusque dans toutes les maisons. D'ailleurs, un drame comme celui-là, ça pouvait passer inaperçu pour personne.

Deux jours après que la petite a été enterrée, pendant que Ninette se débattait dans une espèce de fièvre qui lui avait monté au cerveau, qui la rendait pour ainsi dire folle et qui nous obligeaient, tantôt Pauline, tantôt moi, à y renouveler les compresses d'eau froide avec de la sédative sur le front, le brigadier qui avait veillé Marise avec nous, il est arrivé à notre maison, accompagné d'un autre gendarme et y m'a dit :

— Madame Roman, y faut que votre mari vienne témoigner.

— Mon mari ? j'ai répondu, mais c'est qu'il est toujours malade ?

— Y va pas mieux ? Je peux pas le voir ?

— O oui ! j'ai dit. Le voir, vous pouvez. Venez avec moi.

Nous sommes montés tous les trois à la chambre et j'ai eu la surprise de trouver Cyprien assis sur le lit, les yeux grands ouverts, lui qui depuis l'avant-veille, y restait tout le temps amoulonné, sans répondre à mes paroles et immobile comme un cadavre.

— Je vous ai entendu parler, brigadier Frache, il a dit.

— Ça va mieux ? le brigadier a demandé.

— Oui, ça commence. Je dois avoir eu comme une congestion.

— Y faudrait que vous veniez témoigner pour l'enquête.

— On fait l'enquête ?

— Hé dites ? Je vous crois qu'on fait l'enquête ! Le parquet est venu pour ça. Vous voudriez pas que nous laissions cet ignoble meurtre impuni ?

— Je comprends ! j'ai dit. Ce salaud, y faut le punir.

— Je comprends, mon mari a répété. Mais moi vous savez, j'ai guère à dire là-dessus. Moi, j'ai laissé Simonin et la petite sous les saules et je suis allé aux Trois tours. J'avais une lettre recommandée, alors...

— C'est pas à moi à vous interroger, vous répondrez au juge d'instruction. Moi je vous apporte l'ordre de comparaître, c'est tout mon travail.

Le brigadier Frache avait sorti de sa poche d'uniforme, un papier blanc qu'il a déplié pour le tendre à mon mari.

— Quand ? a demandé Cyprien.

— Le plus tôt possible. D'ici une heure si vous pouvez.

— Je me tiens guère debout.

— Y faut faire un effort. L'assassin est peut-être encore dans la région. Vous devez nous aider à le trouver.

— Bon, j'irai, a dit Cyprien.

Les gendarmes partis, après les avoir raccompagnés jusqu'en bas, je suis remontée et j'ai demandé :

— Comme tu te sens ? Tu auras la force d'y aller ?

— Y faut bien, il a soupiré. Sors-moi une chemise propre, mon pantalon marron, avec la veste pareille et la cravate.

— Oh oui ! j'ai dit, ça vaut mieux, parce que ton pantalon et ton tricot gris que tu avais dessus pour monter aux Trois tours, y sont sales et même, à des endroits, éraillés qu'on croirait que tu t'es battu !

— Je me suis battu avec les épines, je te l'ai expliqué. D'avoir tant attendu les fermiers je m'étais mis en retard et j'ai coupé par le raccourci à travers la broussaille des genévriers et des ronces que ça vous accroche.

Il s'était à moitié levé, debout sur des jambes que je les voyais trembler et que les poils se hérissaient sur sa peau ; et appuyé contre le lit, y s'est mis à répéter :

— Etant donné que lorsque je suis arrivé aux Trois tours porter aux Monsieurs du château, la lettre recommandée, les fermiers étaient dans les champs et qu'y avait personne d'autre que le chien, j'ai été obligé de les attendre et j'ai perdu plus de deux heures entre l'aller et le retour, même en prenant par les sentiers de colline.

Il avait tellement un drôle de ton en disant ça, que je lui ai demandé :

— On croirait que tu récites une leçon ?

112

— Quoi? il a jeté.

Puis il a repris d'une voix méchante :

— Ne m'embête pas. J'ai assez avec cette histoire que j'y suis pour rien et qu'y va falloir que je gâche mon temps à donner des explications. Mon tricot et mon pantalon gris, nettoie-les, que j'en aurai besoin pour reprendre mon travail. Puis fais-moi chauffer un peu d'eau, que je me lave.

J'y ai obéi. Alors y s'est lavé tout le corps et y s'est mis encore une fois une goutte d'eau de Javel sur les griffures de la main. Après, y s'est habillé avec bien du soin, même y m'a redemandé une cravate, que presque jamais y prend la peine d'en mettre une. Y m'a dit :

— Allez! A tout à l'heure.

Et il est parti porter son témoignage à la mairie où le parquet s'était installé.

Moi j'ai continué mon ménage. Une heure plus tard il est revenu, y s'est déshabillé, j'ai interrogé :

— Alors?

Il a levé les épaules, y m'a répondu :

— O... Tout ça c'est des conneries. Je vais me coucher.

— Tu manges encore pas?

— Non, il a dit. Fous-moi la paix.

Et il a monté l'escalier de la chambre.

*

Le lendemain, sans plus parler de rien, il a repris son travail à la poste. Il avait pas l'air trop costaud, j'étais

113

inquiète. Vers les onze heures je suis passée au bureau en revenant de la boucherie, j'ai posé la question à madame Roubieu, la receveuse :

— Y se tient debout, mon mari ?

— Tout juste ! elle m'a répondu. Forcément. C'est la grosse émotion de cette pauvre petite Marise. Nous en sommes tous bouleversés...

— Hé oui, j'ai dit. C'est fatal. Et les Simonin c'est des bons amis pour nous.

— Avec ça qu'il s'est fatigué pour rien à monter jusqu'aux Trois tours qui sont au diable ! Je me demande comment ça se fait qu'il n'a pas compris ce que je lui ai expliqué que les Monsieurs du château étaient partis à Vichy faire leur cure ? Et que l'adresse pour faire suivre était notée sur le cahier. De lui-même il aurait pu la voir ?

— Il a pas dû comprendre, j'ai dit.

— Hé non, je vois bien. C'est étonnant.

— Sans doute qu'il était déjà un peu malade ?

— C'est possible, a reconnu madame Roubieu. Enfin il s'est remis aux distributions. Il me manquait. J'avais pris le jeune Jacquet, mais c'est un étourneau.

Comme je rentrais chez moi, je me vois arriver Pauline Mastre qui me dit :

— Je viens de veiller Ninette. Elle commence à reprendre vie.

Je lui offre :

— Je veillerai la nuit prochaine, si tu veux que je te remplace. A présent, Cyprien va mieux.

— Oui je l'ai rencontré qui faisait sa tournée. Il a une figure sinistre ! elle ajoute.

— Nous en sommes tous là avec ce gros malheur. Ecoute, j'irai cette après-midi chez Ninette. Le pauvre Alfred Simonin je l'ai plus vu.

— Ah, celui-là!

Et Pauline secoue la tête d'un air de colère.

— Qu'est-ce qu'y a? je m'intéresse.

— Y a que depuis l'enterrement, y se saoule à perpétuité.

— Pas possible? Jamais j'ai su qu'y buvait?

— Boire? Y buvait un peu avant, quoi... comme tous nos hommes : le pastis, un marc et le vin pareil que les autres. Mais à présent c'est exagéré. Le juge d'instruction a eu une peine terrible à le faire parler et il a vomi dans la salle de mairie, qu'on en avait tous honte.

— O! je dis. Ça c'est le grand chagrin.

— De sûr. Mais quand même... Et Roman, qu'est-ce qu'il a répondu quand le juge l'a interrogé?

— Et qu'est-ce que tu veux qu'y réponde? Lui, tu sais, une fois qu'il a eu quitté Simonin et la petite dans le pré, il est monté aux Trois tours et il a plus rien su.

— Simonin a dit à Mastre que quand il a emporté sa dernière charge de branchettes, il a laissé ton mari et Marise sous les saules.

— Ça se peut. Mais tu penses, Cyprien s'est plus occupé d'elle qui a continué à cueillir ses fleurs et il est parti pour cette course en montagne que ça l'a esquinté.

— S'il était resté au moins! Pour moi je l'ai déjà dit, ça doit être quelque saleté de chômeur de route...

— Oui, ça doit être ça, j'ai répété. Y faudrait bien qu'on l'arrête. Sinon les mères seront jamais tranquilles.

— O, on y arrivera! Le parquet se donne beaucoup de peine. Ton mari, y paraît que le juge lui a dit : « Roman Cyprien, vous êtes facteur des PTT dans la commune de La Côste depuis vingt ans, tout le monde vous connaît comme un honnête homme et ce n'est pas en accusé que vous êtes ici... » Y te l'a raconté?

— Non, y s'est couché tout de suite, sans parler.

— « Je vous ai demandé de comparaître comme témoin parce que vous êtes un des derniers avec le père, à être demeuré auprès de la petite et que vous pouvez nous aider à suivre une trace. Vous n'avez remarqué personne par là autour, dans le pré? » le juge il a interrogé.

— Et qu'est-ce qu'il a répondu?

— « Non. Personne, il a dit. Y faisait guère beau temps. Les gens étaient tous rentrés dans leurs maisons. — Vous étiez seul avec la petite alors? — Non, il a dit ton mari, je suis parti que son père était encore là. — Faites comparaître Simonin, » le juge a commandé. Mais le brigadier a dit : « Monsieur le juge, Simonin il est en train de vomir. — Il est malade? le juge a demandé. — Non il est saoul » le gendarme a dit.

Et c'était vrai. Moi, c'est Mastre qui m'a raconté la scène, parce que lui aussi, il avait été convoqué comme témoin. Alors, le juge il a pris un air de dégoût et il a dit à ton mari : « Ça va, Roman, vous pouvez vous retirer. »

Et c'est Mastre qui a empoigné Simonin par le bras et qui l'a mené jusque chez lui où la pauvre Ninette arrêtait pas de prendre des crises de nerfs.

Moi j'écoutais tout ça, j'ai fini par dire :

— Hé ben, c'est du beau! Choisir le moment que la

116

petite a été étranglée pour se saouler la gueule! Jamais j'aurais cru ça de l'Alfred.

— Moi non plus, a assuré Pauline. En attendant y paraît qu'on découvre aucune piste. Tu sais, la petite, on l'a visitée, elle a pas été violée. Le type a dû essayer mais il y est pas arrivé. Elle s'est débattue sûrement, elle avait les ongles tout cassés.

A la seconde le mot m'a troué le crâne : « Les ongles des ronciers... » J'ai pensé : « Que je suis bête! Comment des idées comme ça peuvent vous passer par la cervelle? »

J'ai repris :

— Tout ça c'est bien malheureux. Qu'est-ce qu'y vont faire, les Simonin? Ils auront courage de rester dans le pays?

— Je sais pas. Y a le petit Hugues que son oncle l'a emmené à Apt. Peut-être qu'ils y retourneront tous.

— C'est ce qu'ils auraient de mieux à faire, j'ai dit. Moi, je sais qu'à leur place, je pourrais plus me supporter à La Côste.

— Y faut que je te quitte, a terminé Pauline, j'ai le dîner à mettre sur le feu.

Sur ce, je suis rentrée à la maison et c'est peu de temps après que Cyprien est arrivé.

— Tu vas pas mieux? j'y ai demandé.

Y s'était jeté sur le même canapé comme un poids lourd et je lui voyais une figure verte.

— Tu es pas beau, je lui ai dit. Si tu sollicitais un congé?

— Un congé? Pourquoi faire?

— Pour un peu te reposer.

— J'ai pas besoin de repos.

— Tu as une tête sinistre. Pauline Mastre l'a remarqué.

— Pauline elle m'emmerde! Et toi aussi.

Je savais plus que répliquer. J'ai servi la bouillabaisse de morue que j'avais faite et nous avons mangé sans nous parler. Puis il est monté dans la chambre en me commandant :

— Tu me réveilleras pour la tournée des quatre heures.

— Bon, j'ai dit.

Je sais que les hommes quand y sont comme ça, y vaut mieux se taire.

Ainsi la vie a continué. L'enquête aussi. Et c'est une semaine plus tard qu'y a eu comme un coup de tonnerre qui a éclaté et que tous, nous en sommes restés foudroyés : Le juge avait ordonné l'arrestation de l'Alfred Simonin et on l'avait emmené à la prison de Saint Martin du Fort.

— Ça par exemple! nous avons tous dit.

*

Le pays était en effervescence. Personne ne donnait raison au juge parce que personne ne pouvait croire que Simonin ait été capable d'étrangler sa petite et on se répétait entre nous qu'il fallait être malade de la tête pour avoir des pareils soupçons.

— L'ennuyeux, m'a dit Pauline Mastre, un matin que nous nous trouvions ensemble, justement ici où elle

118

était venue m'aider à couper quelques dernières grappes de raisin, l'ennuyeux, c'est que l'Alfred se soit mis à boire comme il l'a fait et alors à raconter cinquante bêtises dans tous les cafés de La Côste. Pense un peu que, lui qui y avait jamais mis les pieds, je le sais, il est jusque allé au bordel des Rossignols, s'abandonner à dire que Marise était déjà formée comme une femme et qu'elle avait des seins pareils que des pommes. Tu te rends compte? Et ces putasses qu'elles attendent que le samedi pour acclaper nos hommes et leur paye...

Moi, j'ai coupé :

— Je peux te jurer que Cyprien il y va pas. Peut-être avant notre mariage, mais depuis, non.

— Ça je sais. Non plus Mastre. Et l'Alfred non plus je te le certifie. Mais à présent, y s'est pris ce genre depuis le crime que forcément sa maison est triste. Alors, y paraît qu'y a une de ces filles qu'elle est, comme y disent, « un mouton », elle a rapporté au brigadier Frache, ce gros cochon qui est toujours fourré aux Rossignols sous prétexte de visites officielles, oui, elle y a rapporté ces bêtises que l'Alfred disait après son trop de boisson. Et le résultat, le voilà !

— Ça va pas durer, j'ai répliqué. A la prison il aura plus à boire et y sera privé par force de la mauvaise fréquentation. Alors, la raison lui reviendra et le juge verra son erreur.

— En attendant, Pauline m'a encore dit, y paraît qu'il est comme un fou. Mais un fou tranquille. Ni y mange ni y boit, y fait que pleurer et la nuit y dérange les autres parce qu'y gémit : « Ma Marise ! Ma belle petite Marise ! » Une fois, à ce bordel des Rossignols, y paraît qu'y s'est pris la tête à deux mains en criant : « Qu'est-ce que j'ai fait ! Qu'est-ce que j'ai fait ! » Alors, la fille qui était avec lui, celle qu'on appelle Pelote, parce qu'elle est grasse de partout, elle a interrogé : « Quoi ? Qu'est-ce que tu as fait ? — J'ai laissé ma petite seule dans le pré et ce qui est arrivé c'est de ma faute, » y lui a répondu. Et elle lui a dit : « Tu es un couillon. » Seulement, savoir ce qu'elle a raconté au juge, cette pute, que pour se mettre bien avec les autorités, de sûr elle crache tout ce qu'on veut ! Pauvre Alfred...

Moi j'en ai conclu :

— Ça s'arrangera, va ! Les juges c'est pas des imbéciles et Simonin, y retrouvera le clair de son cerveau. On le relâchera et y retournera à Apt avec Ninette et Hugues et si on découvre pas l'assassin, que peut-être il est déjà loin sur une route du Nord, l'affaire, on la classera comme tant d'autres.

— Hé oui ! Pauline a soupiré. Et cette pauvre jolie nistone, elle pourrira sans être vengée, entre les rangées de cyprès du cimetière.

— Que veux-tu, j'ai dit, c'est la vie ! Nous y pouvons rien.

— Des fois c'est une belle saloperie, elle a dit, Pauline.

Après ça, nous avons emporté notre panière de raisins que c'était des grappettes toutes picotées par les merles. Ça me fait penser qu'en août je devrai pendre un peu, par-ci par-là, dans ma vigne, des papillotes de papier à chocolat que ça brille et ça fait peur aux oiseaux. Pas trop peur malheureusement, mais enfin il faut bien que tout le monde mange. Autrefois y en avait un seul ici, de ménage de merles. Maintenant ils sont plus de dix. Y trouvent à se nourrir avec les boules des lauriers, les raisins, même les pommes d'amour, ils leur font des trous avec leur gros bec. Et une chose que je savais pas, c'est que les chardonnerets me mangent les graines des roses d'Inde... Je les aime, moi, les roses d'Inde. C'est pas une plante de luxe comme les camélias, mais c'est agréable parce que ça tient tout l'été, sur des tiges hautes qui poussent facilement et qui donnent des grosses fleurs jaune d'or. C'est quand elles sont à leur fin et que la graine commence à se montrer entre les pétales éclatés, comme une bobinette de fil noir, alors les chardonnerets s'en chargent! Dès que je les verrai paraître, ces graines, y faudra que je les recueille et que je les mette à sécher pour l'année prochaine.

L'année prochaine je me dis... Tè, je me fais rire toute seule! L'année prochaine, ma chère Clarisse, que tout à l'heure la barbe te pique au menton, que tu es sèche comme un sarment, que des seins tu en as jamais eu et que c'est pas à quatre-vingt-cinq ans qu'y vont te pousser et que c'est vrai que dans leur vieillissement, les femmes se mettent à ressembler aux hommes; l'année prochaine, tu seras bien tranquille à deux pans sous terre, à pas te soucier des raisins et des roses d'Inde, que les merles te les mangent ou te les mangent pas!

Et c'est pour ça que, à réfléchir à ces histoires bonnes ou mauvaises qui se passent sur cette terre où nous avons été fichus nous savons ni par qui ni pourquoi, il arrive un moment où on trouve qu'elles ont beaucoup moins d'importance que ce qu'on croyait.

A l'époque du crime, plus personne vivait tranquille à La Côste. Le moindre chemineau qui passait et demandait, soit de l'ouvrage, soit un morceau de pain ou qui s'arrêtait pour boire au Bar des Amis, il était repéré. De l'une à l'autre maison, on se passait les renseignements : « On l'a déjà vu l'été dernier... Il a des grosses mains d'étrangleur... Y regarde beaucoup les petites... » Et cætera. Les mères criaient après leurs filles : « Jeannine ! Marie-Louise ! Toinette ! Rentrez tout de suite ! » Les gifles tombaient sur les joues des sauteuses à la corde et des joueuses au ballon avant qu'elles en aient compris le pourquoi et les serrures se fermaient derrière elles à double tour. Ç'a été une panique extraordinaire. Et puis, petit à petit ça s'est calmé, sans qu'on ait oublié. A l'école, la Demoiselle avait fait une quête pour acheter une grosse couronne en fleurs de porcelaine : des roses et des narcisses avec une plaque où il y avait, gravé en noir : « A Marise Simonin, notre compagne regrettée. » Les autres fleurs naturelles du jour de l'enterrement, à force elles s'étaient fanées. La mère malade, le père en prison, y restait plus que ça sur la tombe. Enfin on a relâché l'Alfred et deux jours plus tard, sans qu'on l'aie revu pas plus que la Ninette, ils sont partis à Apt où déjà, on leur gardait ce petit Hugues qu'il a fallu qu'aujourd'hui je le retrouve devant mes yeux. Et du coup, tout m'est revenu en mémoire.

Cette mémoire, des fois on voudrait avoir un vide à la place, ou alors qu'elle se remplisse que de souvenirs agréables. Et quand je suis là, comme ça, comme aujourd'hui, assise sur ma vieille chaise, devant mon vieux cabanon, avec mon vieux chapeau de paille noire sur la tête, je fais tous mes efforts pour me remettre à penser à ces temps où j'étais jeunette et jolie ; quand ma figure, qu'elle est devenue à présent aussi usée que la chaise et le chapeau, c'était un petit visage frais, rose pareil qu'un museau de chat, que toujours il avait envie de se mettre à la fenêtre et de respirer toutes les odeurs de la vie et de rire de tout. Même bêtement d'une femme qui laissait tomber les oranges de son sac à provisions et qui courait après l'une après l'autre et qu'au lieu de l'aider à les ramasser ; je regardais venir une bicyclette et je me disais : « Y vont se rencontrer peut-être ? Ça sera rigolo ! » Ou bien d'un enfant qui se fichait par terre et qui gueulait comme un cochon. Ça me faisait rire, oui, je me tordais en deux et je riais comme une imbécile, sans en savoir le pourquoi et dans le dedans de moi j'avais envie de chanter... C'est ça d'être jeune. Oui, maintenant je le comprends : pour rester jeune y faut être un peu bête. C'est ça qui est difficile. »

« Et qu'est-ce que j'ai besoin de penser encore à ces autres choses tristes qui sont si loin dans le passé ? Naturellement, ceux qui ont pas été au courant de l'affaire : au courant, je veux dire au complet, comme moi, qu'il a fallu que ce soit juste toi, pauvre Clarisse qui y étais pour rien, qui te prenne cette charge sur les épaules ! Naturellement, les gens diront : « Eh ben quoi, c'est fini cette histoire ? Tout le temps il y en a des crimes de ce genre, dans les journaux qu'on lit le matin en buvant son café ? » Oui, les crimes, quand ils ne vous touchent pas, c'est comme le mal ou la mort. La souffrance des autres, tu la supportes facilement, elle te passe pas par les os... La mort c'est pareil : Tu lis les avis de décès, tu te contentes de dire : « Tè, le marchand de graines et fourrages il est mort ? Qui l'aurait cru ? Quarante-sept ans, solide qu'il semblait et bien portant ? Et y laisse six petits derrière lui... » Tu y songes deux minutes, puis tu penses à ta soupe, à ton mari, à tes distractions. On est frères sur la terre sans l'être, c'est sûr. Si fallait s'occuper de tout le monde tu en finirais plus. Seulement quand ça vous touche au foie, là, c'est pas pareil. Et c'était obligatoire que ça me touche au foie.

Quand l'Alfred a été libéré et qu'il a été parti pour Apt

rejoindre sa femme et son fils, à dire le vrai on a mieux respiré. Ce crime, ça nous troublait l'air.

Alors on a essayé de plus tant y réfléchir. D'abord, l'existence est là qu'elle vous pousse par les épaules, y a le travail pour tenir la maison propre, pour laver le linge et le raccommoder et le repasser et mettre des pièces aux pantalons d'homme qu'y faut dire que mon mari les usaient de plus en plus, parce qu'il était toujours par monts et par vallées ou ici au cabanon, à bêcher tout seul. Y lui avait pris une manie de ne plus jamais presque se reposer. Y partait dans la montagne me couper de ces branches d'arbres morts si grosses qu'il en revenait, courbé en deux et la sueur en rigoles sur la figure.

— Tu te fatigues de trop, je disais. Tu exagères.

Y relevait les épaules et le lendemain c'était pareil. De tout l'hiver j'ai pas brûlé un morceau de charbon dans la cuisinière ni à la cheminée, tellement y m'avait fait la provision de bois pendant ce mois de novembre qui a suivi l'histoire.

Des Simonin, nous en entendions encore parler, bien sûr. Mastre qui allait chercher sa farine au moulin de la route d'Apt, des fois poussait jusqu'à cette ville et après quand je le voyais, à la boulangerie, y me racontait, d'un ton désolé :

— L'Alfred, y se remet pas. Ninette, y lui a pris un genre de rhumatisme au cœur, le médecin d'Apt a dit que ça risque de la tuer d'une minute à l'autre. Elle est maigre comme un cent de clous et sa poitrine lui tombe sur le ventre. Ah ! Une femme qui était si belle, ça semble pas possible ce que le malheur a pu en faire...

125

— Et lui? je demandais.

— O lui, disait Mastre, y se soigne qu'en buvant. De « chez Coco » où y a les putasses, au bar des Deux billards, y passe le plus clair de ses journées et quand il est parti de chez lui à cinq heures de l'après-midi, y rentre le lendemain matin vers les onze et c'est pour se coucher et dormir parce qu'il est plein comme un œuf du jour.

— Pauvre Ninette, j'ai soupiré. Elle qui a déjà son chagrin!

— Oui, c'est un salaud, c'est un type qu'y peut pas s'habituer. C'est plus un homme, quoi! Et si elle lui fait une observation, y paraît qu'y la frappe. Qué tristesse!

— Et le petit Hugues? j'ai encore demandé.

— Heureusement y a la grand-mère pour s'en occuper, mais petit que petit, c'est un niston que toute sa vie, y se souviendra d'avoir vu rentrer son père saoul après avoir découché. Et quel respect alors tu voudras qu'il aye, dans ses quinze ans, quand ce père prétendra lui faire un peu d'observations, mettons le temps venu qu'y commence à courir avec ses copains? De sûr y saura lui répondre : « Et toi, pa, quand tu faisais pareil? Et qu'en plus tu laissais ta femme et ton enfant? » Ah non, tu sais Clarisse, tout ça n'est pas du joli!

— C'est un malheureux, j'ai dit. Vous avez raison, Mastre, il est pas de force à supporter. C'est pour ça. Il est plus à plaindre qu'à blâmer.

— En attendant y martyrise Ninette et lui, il a une honte que tu le prendrais sous un chapeau.

En emportant mon pain, je réfléchissais comme y semble que le destin soit là exprès pour détruire le bonheur des gens. « Quand tu es jeune, je me disais, tu crois que tout va marcher droit, sans que tu prennes aucune peine, tu rencontres un homme ou une femme, tu te maries, tu mets des enfants sur terre, tout le monde est content, on boit le mousseux, on mange les gâteaux, tu peux te figurer que la vie c'est une rigolade. Et puis, le coup de barre te tombe sur la tête : ton mari te fait cocu, ta femme se prend un amant, ton gosse tombe malade ou y vole des sardines chez l'épicière qu'y faut que tu y foutes la raclée, ta fille se laisse engrosser par un ouvrier agricole ou bien un des deux te meurt... Et allez! Et allez! Ça te dégringole dessus comme un mur de pierres sèches qui s'écroule. Alors tu comprends que c'est ça l'existence.

Mais à quoi ça te sert de comprendre? Y vaudrait mieux pas, puisque tu as plus le temps de rien arranger? Tu sens que tu es pris dans quelque chose qui est plus fort que toi et alors tu te résignes. »

Oui, je me répépillais ces idées, moi, en revenant de chez Mastre avec ma grosse boule de pain toute chaude entre les mains, que tout en marchant, j'en tirais des petits morceaux pour les manger, parce que c'était l'époque où j'avais encore bien d'appétit. Et en revenant à la maison, je voulais faire part de toutes ces réflexions à Cyprien qu'il était déjà prêt à partir au bois. J'ai pas eu commencé qu'y m'a arrêtée net avec le mot de Cambronne. Je rangeais le pain dans le torchon blanc, j'ai relevé les yeux, j'y ai dit :

— Qu'est-ce que tu as?

— J'ai que tu m'emmerdes avec tes racontars, il a répondu.

Et il est sorti sans plus me parler. J'en suis restée assise sur mon derrière. Puis à la fin, je me suis dit que j'avais qu'à pas faire attention et que son caractère avait changé, voilà tout et que moi aussi je devais me résigner.

*

Comme ça y s'est passé encore quelques semaines. Les platanes de l'avenue avaient fait un tapis jaune par terre avec toutes leurs feuilles gorgées d'eau, y pleuvait trois jours sur quatre, puis il a commencé de geler sur la montagne, les nuits. Les dahlias ont été pareils que de la salade bouillie. Des petites pâquerettes, toutes frileuses, d'un genre timide, se sont montrées dans l'herbe que l'humidité avait fait repousser partout. Enfin, c'était l'hiver qui arrivait. Et parfois chez nous, il est assez dur et nous avons de la neige à sept reprises. Alors forcément, tout se rétrécit dans le froid et le silence. Chacun reste dans ses maisons, l'homme répare les outils, la femme fait la révision des draps et des torchons. Heureusement ça dure guère et on tarde pas de voir des coulées de violettes à l'abri des cagnards. Ici, j'en ai une plante qu'à peine février arrivé, elle montre ses belles petites figures tournées vers le soleil et je vais exprès la regarder tous les ans, pour me donner courage de reprendre la vie.

Mais cet hiver-là, celui qui a suivi le crime, que la justice avait fini par abandonner toutes les pistes, il s'est mis à être plutôt pluvieux que glacé. Mes dahlias, je me souviens qu'y ont refleuri sur les tiges les moins molles et même dans le fond de mon bien, où la terre fait un vallon, un amandier il a été tout rose en janvier. Seulement nous autres les paysans, nous connaissons trop ces caprices de la nature. Nous disons : « Noël au jeu, Pâques au feu. » Et c'est bien ça qui est arrivé. Le mauvais temps, de gré de force, y faut qu'y se fasse. Sinon, les vers blancs, les courtillières, les fourmis, les coupe-sèbes, que c'est la perte des légumes, y foisonneraient que tu t'en débarrasserais plus...

Donc, le vrai froid, il a commencé tard cette année-là et c'est pour dire qu'en novembre tout le monde était encore dans ses terres et c'est comme ça qu'on l'a dépendu encore tout chaud, le pauvre Alfred. Ah, mes braves amis y faut y venir ! Sous le lavoir couvert, il était entré pour se détruire ! Depuis Apt, après avoir porté un gros paquet de chrysanthèmes sur la tombe de sa petite, pour y fêter la Toussaint ! Sous le lavoir couvert ! En face de cette mare qui vient d'une source souterraine et où, autrefois, y venait couper les roseaux à massue pour les paniers ! Sous le lavoir couvert qu'une grosse poutre le traverse sous le toit de tuiles... Et la corde, où y l'avait prise ? Y l'avait portée depuis Apt ? Avec les chrysanthèmes ? Non, y l'a trouvée sous la pierre à laver, dans le recoin, que juste madame Bugeaud cette imbécile elle y avait laissé un sac entortillé d'une grosse corde pour étendre, parce que comme elle a pas de jardin, elle sèche son linge dès la lessive, d'un arbre à l'autre, au bord du chemin. Alors ce pauvre homme, il a attaché cette corde à la poutre et c'est le vieux Parodi, un qui rapportait son maïs depuis les Avons, qui est passé devant et il a dit y

129

dit : « Qué drôle de chose qui descend du plafond de ce lavoir ? » Y faisait presque nuit et ce vieux il y voyait guère. Depuis, il est mort, mais en ce temps y lui a pris la curiosité d'entrer et il a vu les pieds qui pendaient, les pieds dans les gros souliers, encore tout sales de la boue du cimetière. Le visage, y pouvait pas le distinguer il a dit, d'abord parce qu'il était trop haut et que la casquette sur la tête du pauvre Alfred, elle avait glissé en avant, juste retenue par le nez qu'y l'a toujours eu avantageux. Mais Parodi, il a bien compris la chose naturellement et il est venu en courant vers La Côste comme y pouvait, avec ses jambes de vieux, y s'est arrêté au café de la route que c'est la première maison et il a annoncé :

— Venez vite ! Y a un pendu sous le lavoir couvert !

— Mon Dieu ! la femme de Jeannin qui tient le café elle a crié. Qui c'est ?

— Je sais pas, Parodi a répondu, j'y ai pas vu la figure.

— C'est un du pays ?

— Je sais pas. Verse-moi un marc. Je me tiens plus debout.

— Vous avez pas coupé la corde ? Jeannin a demandé.

— Non. Rien. J'ai rien fait, le vieux a dit entre ses dents qui claquaient. J'étais seul. J'ai rien fait. J'ai eu peur.

— Allons vite ! Jeannin a décidé. Gustine, va appeler Mastre que c'est le plus proche. Qu'y vienne tout de suite !

Mastre est venu. Voilà les mauvaises malices de la vie. C'était à Mastre, au meilleur ami du pauvre Alfred, de se trouver devant ce spectacle et de se prendre le courage de couper la corde avec le couteau que Jeannin il avait eu le bon sens d'apporter. Et c'est rien que lorsque le corps a été allongé par terre, dans le mouillé du lavoir d'abord, puis dehors dans l'herbe du chemin, qu'il a reconnu qui c'était.

Mastre c'est un homme, il a pas perdu la tête. Il a dit :

— Il est pas tout à fait mort, il est encore chaud. Y faut l'emporter tout de suite à l'hôpital et que le docteur lui fasse la respiration artificielle. Pauvre Alfred !

Je dis comme lui : « Pauvre Alfred ! » Je peux dire : « Pauvre Mastre ! » Parce que, avant même d'arriver à La Côste, il a bien vu que le pendu était mort.

On l'avait allongé sur deux tables en marbre, au café de la route, Gustine, de se voir arriver ça, elle est tombée en diguedingue. On a envoyé le fils Jeannin prévenir mon mari. Il est devenu blanc comme un linge et sa mâchoire lui tombait.

— J'y vais pas j'y vais pas... y répétait en remuant la tête de tous les côtés. Ça servira à rien.

— Ça servira j'ai dit, que tu montreras ton amitié pour le pauvre Alfred. Y faut y aller.

— J'y vais pas... y répétait toujours.

— Tu y vas, j'ai dit.

J'y ai mis le cache-col tricoté autour du cou et j'ai commandé :

— Allez ! File tout de suite avec le fils Jeannin.

Y m'a obéi. Mais je le voyais tellement vert que je m'effrayais : « Y va tomber en route. »

Après, le pauvre Alfred, on l'a transporté à la morgue de l'hôpital et le docteur a dit :

131

— C'est un suicide.

Nous avons pensé que nous l'avions compris avant lui, mais les docteurs, on les écoute toujours avec respect, parce qu'on croit qu'ils ont la science infuse.

Nous, les femmes, nous sommes allées voir le corps avant qu'on le mette dans la caisse pour le transporter à Apt. Ninette avait pas pu venir, clouée qu'elle était par son rhumatisme et c'est Pauline, Gustine, madame Bugeaud et moi qui lui avons fait un genre de toilette, à ce pauvre Alfred, que la mouillure du lavoir lui avait sali les habits.

En lui frottant les souliers, moi j'ai dit :

— Il a pas pu supporter la mort de sa petite, le malheureux.

— Oui c'est sûr, Pauline elle a dit.

Mais Gustine a serré les lèvres, que déjà elles sont minces comme un fil et elle a murmuré :

— C'est peut-être le remords qu'il a pas pu supporter ?

— Le remords de quoi ? j'ai demandé.

— Ben, a dit madame Bugeaud, la vraie vérité, au fond on l'a jamais sue.

— La vraie vérité de quoi ?

— Hè ben, du crime de Marise, de l'étranglement !

— C'est ça que je pensais, elle a dit Gustine, en parlant du remords.

— Quoi ? Pauline Mastre a jeté, vous allez pas supposer que le pauvre Alfred, c'est lui qui avait tué sa fille, non ?

— Des fois, la passion elle vous mène où on voudrait pas aller, madame Bugeaud a repris. La passion, elle vous fait faire des choses...

132

— La passion de quoi?

— La passion des hommes. Vous les connaissez pas, les hommes, comme y sont? Le mien, que c'était soi-disant un brave, j'ai su qu'il allait tous les samedis aux Rossignols et qu'en plus il avait fait un petit à une fille de Forcalquier.

— Le vôtre le vôtre... Pauline s'est énervée, c'est possible que c'était un salaud, mais pas le pauvre Alfred.

— O, salauds, elle a coupé Gustine, y le sont tous! C'est pas la peine de se faire d'illusions à ce sujet.

— Les hommes, quand y l'ont raide... a dit madame Bugeaud.

Je suis intervenue :

— Mais enfin il avait sa femme, y l'aimait sa Ninette et elle était assez jolie pour pas en chercher d'autres.

— Voui! Mais sa petite elle était encore plus jolie et surtout plus jeune... Jeune! C'est ce qui leur plaît.

— Le pauvre Alfred, c'était pas un genre à ça, j'ai coupé. Taisez-vous.

J'en avais assez. Entendre bazaretter ces deux femmes à côté du cadavre minable de ce père que le chagrin l'avait poussé à se détruire, non, j'en pouvais plus! Enfin j'ai déclaré :

— Ecoutez, moi je suis fatiguée. Puisque tout est fini et qu'on a plus besoin de moi je rentre à ma maison.

Et c'est ce que j'ai fait.

*

133

Seulement, c'est pas parce que moi je me suis abstenue, que les langues se sont retenues de s'agiter. Quoique l'hiver, les bavardes aient moins d'occasions de se rencontrer, soit à la fontaine soit aux champs, parce qu'on file vite à cause du froid, quand même l'Alfred enterré à Apt, les racontars se sont pas arrêtés. Il avait eu le malheur, cet homme, dans son orgueil, de dire que sa Marise était belle et déjà formée comme une fille de dix-huit ans. Au café de la route, Gustine l'avait entendu répéter que les seins de la petite faisaient sauter tous les boutons de ses robes. C'était un jour où il avait bu deux pastis de trop, bien sûr et y en a peut-être qui l'ont compris, mais Gustine non. Parce que c'était une occasion trop facile de jeter son venin, à celle-là, qui est encore plus plate de poitrine que moi. Et comme ça, de bouche en oreille, il est arrivé que les trois quarts du pays se sont mis à croire que le pauvre Alfred avait essayé de violer sa fille avant de l'étrangler et que d'abord, si on l'avait mis en prison, ç'avait pas été pour rien...

Là-dessus, les jours passent. Tu lèves tous les matins un des feuillets du calendrier et Noël t'arrive dessus que tu t'en es pas aperçue. Cyprien continuait ses tournées, moi mon ménage. Les meuniers de la route d'Apt ont dit à Pauline qui me l'a dit, que la Ninette Simonin était de plus en plus malade et que si le rhumatisme lui montait au cœur, ça serait la mort. De toutes nous autres, personne osait aller la voir, on avait pas le courage. Juste si nous savions qu'elle continuait à vivre avec sa belle-mère qui la soignait et que le petit Hugues se faisait beau.

Qu'y se faisait beau, cet orphelin de père, je le crois, parce qu'y avait qu'à le voir tout à l'heure devant mes yeux quand il est passé avec Fonse l'aïguadier, que ça m'a donné un de ces coups d'émotion que le docteur dit qu'il m'en faut pas. Alors, voilà toutes les nouvelles qui nous parvenaient et on pouvait croire que tout était enterré avec l'Alfred et la petite. Un jeune ménage de Pertuis avait pris la suite de la fabrication des paniers et ça marchait bien pour eux. C'est dire que, de l'histoire il ne s'en parlait plus. Tous les jours apportent leur charge de bon et de mauvais et tu as tant à penser à toi dans l'existence qu'y te reste plus de quoi penser aux autres.

Pourtant, y avait une chose qu'elle a fini par me donner à réfléchir : Cyprien arrivait plus à dormir. La première fois que je le sens bouger, jeter les jambes, les ramener, se retourner en tirant les draps, vers les une heure du matin je lui pose la question :

— Qu'est-ce que tu as que tu dors pas ?

— J'ai rien, y dit. J'ai mal dans l'estomac.

— Tu as pas digéré ? je dis. Je te donne un peu de bicarbonate ?

— Si tu veux...

Je lui donne et y le boit. Mais les nuits suivantes y dort pas mieux et pourtant il avait rien mangé le soir. Et ça continue. Alors y prend l'habitude de se lever et de tournailler dans la maison, au milieu de la nuit. Puis, y décide de sauter du lit plus tôt et d'aller travailler une ou deux heures au cabanon, avant de partir pour sa tournée du matin.

— Tu vas te claquer... je lui fais remarquer.

— Y faut que je bouge, y me répond.

Naturellement, comme y fait pas chaud à l'aube, y prend froid et il est obligé de demeurer couché des trois jours par semaine. Madame Roubieu la receveuse, elle commence à en avoir assez de le faire remplacer par ce Jacquet qui est un étourneau, alors elle vient à la maison, elle regarde la figure maigre et jaune de Cyprien, son corps tout courbé comme celui d'un vieux, elle me dit après :

— Je crois qu'il ferait bien de demander la retraite proportionnelle ? Il aurait besoin de repos. Alors je prendrai l'ancien facteur pour quelque temps.

Bon. Le repos, y l'accepte : Trois mois. Du coup je le vois plus jamais. On me raconte qu'on l'a rencontré aux Avons, assis sur une murette pendant des heures, en train de réfléchir ou de se parler seul. Puis un bûcheron qui va au bois, l'a trouvé allongé au pied d'un chêne vert, dans les broussailles des lentisques et des genévriers.

— Vous êtes malade ? celui-là lui demande.

Il ne fait que remuer la tête sans répondre.

Une autre fois y reste ici au cabanon jusqu'à la nuit noire, pour rien. Une autre fois il demeure au lit, la fenêtre fermée, sans vouloir de lumière. Si je lui parle il a l'air fada ; si je le regarde je le vois tout resserré sur lui-même comme s'y se rétrécissait. Je l'interroge :

— Mais Cyprien, mon beau, qu'est-ce que tu as ?

— Rien, y dit. Fous-moi la paix.

L'hiver se passe comme ça. Le printemps arrive, les eaux délivrées se mettent à couler depuis l'en haut de la neige des montagnes. Les narcisses jettent du parfum partout, les gens quittent les grosses vestes et prennent un air tout content, y a que Cyprien qui continue à faire une tête sinistre. Moi, je suis désolée, je cherche à savoir, mais va faire parler une bûche!

Comme ça, un moment arrive que c'est Pâques. Mastre nous avait fait cadeau d'une fine farine bien tamisée, moi j'avais des beaux œufs de mes poules, je propose de faire des crêpes et de se réunir pour les manger : les Mastre, Pessegueux et nous autres, histoire de m'imaginer que ça rendrait à mon mari un petit plaisir de vivre. Alors je fais mes invitations, j'en parle à Cyprien qui n'en dit rien et le lundi de Pâques, parce que le dimanche, Mastre avait trop de travail, je reçois mon monde autour de ma table, préparée avec ma belle nappe brodée et mes assiettes de porcelaine. On avait décidé pour les quatre heures, afin que la belle-sœur de Pauline puisse la remplacer au magasin. Bien. Tous mes gens s'amènent... Tous, sauf Cyprien. Il était parti après le midi sans presque avoir mange et je lui avais recommandé de revenir pas tard. Nous l'attendons un moment, deux moments, trois moments... Rien!

— Y peut pas nous faire faux bond, dit Mastre.

— Y lui aurait pas pris mal au cabanon? s'inquiète Pauline. Il a pas bonne figure tous ces temps. Et Pâques, il est pas chaud, cette année.

— Patientons un peu, dit Mastre. S'il vient pas, j'irai voir.

— Moi! offre le neveu de Pessegueux. Avec le vélo je vais vite.

Quatre moments, il est toujours pas là, mes crêpes elles se séchaient dans le four et nous savions plus trop parler.

— J'avais porté le mousseux, dit Mastre. Le boire sans Roman, ça me plaît pas.

— O, y va pas tarder! moi je certifie.

Mais j'étais guère tranquille. A la fin, le neveu Pessegueux enfourche son vélo et y file à Drailles.

Encore un peu de temps et y retourne.

— Alors? nous lui disons.

Y baisse la tête, y répond :

— Y veut pas venir.

— Pourquoi? Mastre demande.

— Y pleure.

— Y pleure? je répète. Et pourquoi y pleure?

Le cœur me tapait dans la poitrine.

— Je sais pas, dit Pessegueux. Je l'ai entendu le temps que je planquais le vélo contre le laurier de votre entrée. Il avait la tête cachée dans ses deux mains et les coudes sur les genoux et y pleurait. J'ai entendu le bruit de ses sanglots. Je lui ai demandé s'il était malade. Il devait pas m'avoir vu arriver, il a sauté comme devant une serpe. Y m'a répondu : « Je veux rester seul. Va-t'en. » J'ai dit : « On m'a envoyé : Votre femme, Mastre et mon oncle, pour que vous veniez manger les crêpes de Pâques avec nous autres. » Y s'est levé d'un coup : « Va-t'en! » y m'a crié. Et il a ramassé un outil pour me le lancer à l'après. Alors j'ai fichu le camp, y m'a fait peur.

Un grand silence de voix et de gestes nous est tombé dessus à entendre ces paroles. Moi, j'avais honte sans en savoir le pourquoi. Mastre a réfléchi, puis il a dit d'un air préoccupé :

— C'est un homme qu'il est malade, Clarisse. Y faudrait le mener au docteur. Il a quelque chose de pas naturel.

Nous avons fini par manger les crêpes. Elles étaient dures et pas bonnes et nous les mangions sans goût. La moitié du mousseux est restée dans la bouteille. Je comprenais que personne osait plus me parler de Cyprien, sauf Mastre qu'en partant, y m'a appuyé la main sur l'épaule et y m'a répété :

— Y faut le mener au docteur, ma pauvre Clarisse ! Roman, vois-tu, pour moi, c'est un gros malade. Soigne-le. Si vous avez besoin de nous, y aura qu'à nous appeler.

Quand ils ont été tous partis, je me suis ramassée toutes ces choses dans la tête et comme ça, dans le soir qui tombait, j'ai attendu que mon mari revienne. Il est rentré sans rien dire, calme. Je lui ai demandé :

— Qu'est-ce que tu as eu, Cyprien ?

— Rien, il a répondu. Les gens m'emmerdent, c'est tout.

— Mais c'est tes amis ? j'ai répliqué.

— J'ai pas d'amis, il a dit.

Et il est monté se coucher. »

« Autant dire que depuis cette fête de Pâques, mon mari il est plus revenu sur terre. Pessegueux et Mastre avaient beau y faire d'amitiés, nous inviter à aller manger chez l'un chez l'autre les dimanches, voyant que cet homme se laissait couler comme une rivière, on arrivait pas à le remonter.

Moi, je me sentais encore plus impuissante que les autres. Quand je le questionnais sur son état, je me faisais répondre les cinq lettres. Pourtant, quand il était jeune, c'était pas un de ces grossiers. Au contraire, si joli garçon, le képi de facteur un peu de côté avec une mèche qui frisottait vers l'oreille, le corps bien pris dans l'uniforme, il était gracieux et il avait un mot gentil pour tout le monde. Mais ça c'était le passé.

Pauline finit une fois par me dire :

— Ton mari, il a une chose qui le ronge.

Je me creusais l'esprit à chercher ce qui pouvait bien ronger Cyprien et quand à la fin, parce qu'il avait pris la grippe à venir au cabanon sous la pluie battante, sans le prévenir j'ai appelé le docteur Chaussaigues, de Forcalquier. Celui-là, lui ayant fait passer la radio et l'ayant bien regardé sur toutes les coutures, termine en lui déclarant :

140

— Tous vos organes sont en parfait état, mais vous faites une dépression nerveuse. Y vous faut du repos.

Du repos? Ça, pour lui en faire prendre... S'il avait cessé son travail à la poste, y se tuait de fatigue au cabanon. Il y passait le plus grand de son temps et bêtement, à bêcher pour rien jusqu'à s'esquinter, et sans jamais faire rien d'utile. Quand je lui demandais de recrépir le mur de derrière, de relever la poutre maîtresse de l'appentis qu'elle tombait de travers, y savait que me répondre qu'il s'en foutait et que tout ça avait aucune importance.

Et à la maison, y me dressait pour ainsi dire pas la parole. O, je le reconnaissais plus, mon beau Cyprien des Balandres, si bon parleur et toujours prêt à la plaisanterie! Je finissais par n'y plus faire attention, c'était un genre de fantôme que je croisais dans les pièces,... Et un jour est venu où ç'a été le plus fort. Y m'a déclaré :

— Je veux coucher seul. Je dors mal à deux.

— Seul? j'ai répété.

— Oui, seul, il a redit d'un ton sec. Je me suis rangé le sommier de la mansarde qu'il avait un ressort détendu et c'est là que je veux coucher.

— Mais la paillasse est toute poussiéreuse? j'ai fait remarquer. Et ce lit, il est étroit.

— J'ai secoué la balle et maintenant c'est propre. C'est là que je veux coucher.

J'ai eu le cœur gonflé comme une éponge. J'ai demandé :

— Après nos trente ans de mariage, tu me fais ça,

141

Cyprien? Tu me fais cet affront de plus vouloir coucher avec moi?

Y répondait pas, alors j'ai insisté :

— Je te dégoûte parce que je viens dans l'âge?

— Y s'agit pas de ça, il a repris. Y a rien pour t'humilier. Seulement je veux coucher seul.

J'ai vu qu'il était comme le mulet que plus tu le frappes, moins y comprend. J'ai fait le silence.

— Ce sera à partir de ce soir, il a précisé.

J'ai dit :

— Bon. Comme tu voudras. Mais tu me fais beaucoup peine.

Quand il a été sorti, j'ai pleuré. Le soir, il est monté coucher dans la mansarde.

Tu te rends compte quand tu vis un bout de temps sur la terre, qu'y a des choses contre lesquelles tu peux rien et que de te battre contre elles, ne sert qu'à te casser la figure. Alors c'est pas la peine de lutter. Seulement ça te rend triste et dans ces moments, tu donnerais ton existence contre une poignée de figues.

Alors, de ce jour, ça s'est fait comme ça et mon Cyprien qu'autrefois il aimait tant, y me disait, de se sentir mon derrière dans le creux de son ventre quand on se serrait dans notre lit de jeunes mariés, eh ben il est monté dormir seul dans son coin, pareil qu'un pestiféré. Dormir? C'est pas sûr qu'y dormait si tranquille? Moi non plus et j'écoutais les bruits. Je me demandais : « C'est les rats qui font la danse ou bien c'est lui qui marche avec les gros souliers? Vers les deux heures du matin, c'est pas possible? » Et pourtant, oui, c'était

142

lui et des fois je l'entendais qui remontait la crémaillère
de la lucarne et qui prenait l'air de la nuit. Elles étaient
belles, les nuits. L'été avait commencé avec un de ces
clairs de lune qui vous font y voir comme en plein jour,
dans ce genre de lumière sévère qui marque tous les
détails. Et c'était ces nuits où les rossignols se répon-
daient d'un arbre à l'autre dans les jardins de derrière la
maison et c'était bien plus triste de les entendre dans
leur plaisir amoureux.

Un soir je lui propose :

— Je pense une idée. Puisque je comprends que tu te
plais en campagne et en solitude, pourquoi nous irions
pas en rester au cabanon de Drailles ? Avec un bon recré-
pissage de partout, y serait habitable ? Le grenier d'en
haut, quelques journées qu'un maçon y passe pour
recevoir le toit, y vaudrait ta mansarde, tu sais ?

Y m'écoute d'abord sans répondre, après y me dit :

— Et toi, où tu coucherais ? En bas y a que la
cuisine ?

— Eh ben, avec toi, je réponds. On mettrait deux
lits.

— Non, y dit. Changeons rien. Ça va comme ça.

— J'ai pas épousé un homme pour dormir seule, je
réplique.

— C'est comme ça, y répète. C'est ma décision.

Et y retombe dans son silence.

Ces silences, quand j'y réfléchis, y en a eu de quoi
paster mestre Coire. Ça, c'est une expression de chez
nous que les gens qui sont nés plus haut que Valence,
elle leur est difficile à comprendre et ça les fait rire. En

143

somme, moi je sais pas d'où elle vient ? Ce « maître Coire », dans mon idée il a dû être quelque grand et gros homme comme une armoire à glace et que pour le recouvrir, ça devait être un travail de Romain. Alors la signification c'est qu'y fallait une énorme quantité de pâte. Et pourquoi on voulait l'empaster ? J'en sais rien. Ça se répète depuis des siècles dans nos pays sans qu'on puisse expliquer d'où ça vient.

Enfin quoi que ce soit, Cyprien se taisait beaucoup plus qu'y parlait et moi je finissais par me prendre une de ces mélancolies qui vous vieillissent de dix ans par année.

Pauline me demandait de temps en temps :

— Il est toujours pareil, même depuis qu'il a repris ses tournées ?

— Toujours, je répondais. C'est un mûou !

« Un mûou », c'est encore un mot de chez nous. Ça veut dire un mur, un muet, quelque chose que la parole lui a pas été donnée et que tu te casserais la tête dessus pour l'en faire sortir.

— Le docteur, qu'est-ce qu'y lui trouve ? questionnait Pauline.

— Rien. Y dit qu'il faut le laisser aller et venir à son idée et pas le contrarier en aucune chose.

— On y conseille pas de prendre sa retraite ?

— Non. Le docteur dit que ça le distrait de voir les gens.

— Pour ce qu'il leur parle ! Philomène, la nouvelle femme du neveu Pessegueux, qu'elle a ses parents à L'Isle-sur-la-Sorgue, elle me racontait hier qu'y lui met le courrier sur le rebord de la fenêtre, sans seulement lui faire la grâce d'un bonjour.

— Lui qui avait toujours le mot pour rire? Ce qu'il a pu changer...

— C'est depuis l'histoire du drame de la petite Marise, tu l'as pas remarqué? A l'automne ça fera un an.

— C'est vrai qu'il avait d'amitié pour elle et aussi pour le pauvre Alfred. Y faut avouer qu'y a de quoi vous retourner les sangs!

— Et avec ça, jamais on a trouvé l'assassin?

— Toi, tu le crois pas que c'était son père?

— Ça me semble pas possible... J'ai toujours pensé que c'était de désespoir, mais pas de remords qu'y s'était pendu.

— Moi aussi. Il était si brave, ce pauvre Alfred!

— Oui.

— Tu le dis d'un drôle d'air?

— Ben, qu'est-ce que tu veux... Les gens parlent et par la force d'avoir des oreilles, tu es forcée de les entendre. Berthe Bugeaud, elle prétend que c'était un putassier.

— Oh!

— Oui. Elle a raconté à Justine qu'un jour où il l'avait employée pour couper des lanières de roseaux, y lui a envoyé la main au cul.

— Madame Bugeaud, tu sais, j'ai répliqué, plus inventeuse qu'elle, je crois que ça existe pas! Et pour le cul mesquin qu'elle a, l'Alfred il aurait mieux choisi, dis? Surtout en ayant sa belle Ninette, grasse comme un tourdre?

— C'est ce que j'ai réfléchi. Mais les hommes, des fois on comprend pas leurs goûts.

— Quand même... S'attaquer à madame Bugeaud! C'est comme si tu voulais me faire croire que Mastre ou Roman, y vont tous les samedis aux Rossignols.

Pauline, elle a ri, mais plus tard moi j'ai su que justement, Cyprien il y allait aux Rossignols. O, pas tous les samedis soirs, non! De temps en temps et de nuit noire et seul et que personne pouvait le voir et qu'il entrait par la porte de derrière et que la fille qu'y prenait, à dire le vrai mot y la prenait pas et qu'y restait seulement à l'embrasser dans le cou. Ça, de ce moment je l'ignorais, il a fallu que ce soye lui-même qui me le raconte, quand il a commencé de lui venir cette espèce de délire avant la mort. Là alors, les moments que j'ai passés, ç'a été un tel enfer que je sais pas comment j'en suis pas crevée avec mon mari... Et y faut que j'y tienne, à m'en souvenir.

*

Y faut que j'y vienne... Je voulais pas. Et toujours ça me remonte, pareil qu'un dîner mal digéré. J'aurais peut-être oublié si j'avais pu vomir. Mais j'ai tout gardé sur l'estomac et ça m'a étouffé pour le reste de ma vie. Alors, quand je me trouve seule comme aujourd'hui, comme tous les jours, assise à côté de la porte de mon cabanon, avec tout ce temps de quatre-vingt-cinq années qui est dans mon corps, dans ma robe grise qui tombe droite parce que j'ai plus d'hanches et que j'ai jamais eu de seins, plus rien qu'un ventre qu'il est

146

commode pour lui reposer dessus mes mains croisées, y faut que j'y revienne... Mes mains je les regarde, on dirait deux bêtes, tout en arêtes comme les pattes griffues des sauterelles qui me mangent les plantes. Et grises aussi comme elles, comme ma robe, comme ma figure et comme cette vie que je mène maintenant que Cyprien est mort et que tous les matins je viens de ma maison de La Côste jusqu'à Drailles.

D'abord je traverse la rue de la Grand-Porte et d'un ou de l'autre côté je m'entends dire :

— Alors, madame Roman, vous allez un peu au cabanon...

— Hé oui! je réponds.

On me le demande pas, on le sait, mais ça fait rien.

Je trouve d'abord la belle avenue entre les villas modernes que le notaire et le contrôleur des contributions y se sont fait construire, qu'elles ont un toit neuf et des larges ouvertures avec des beaux rideaux à volants. Devant, y a un massif rond et un bassin avec des poissons rouges, ça fait joli. Y en a deux d'une part, de ces maisons, trois de l'autre où le jardin est plus petit. Y en a un où y a un palmier, mais l'hiver, y souffre. Chez nous ici on est trop près des Alpes, l'air est vif, c'est pas un endroit à palmiers.

Quand j'ai dépassé les villas, alors je prends le chemin de pierrailles, entre les ronciers et de ces sumacs qu'en novembre, y flambent comme du feu et que les feuilles se pèguent après tes doigts. Puis ça descend de plus en plus, tu arrives au fond du vallon. Là tu croirais qu'y a eu un tremblement de terre ou qu'un torrent fou est descendu depuis la montagne et qu'il a tout ravagé. Même y a des coquilles que la mer y aurait laissé dans les temps anciens où les hommes étaient pas nés. Et le curé dit qu'y faut les ramasser et les lui porter parce qu'elles sont intéressantes. Moi, j'en trouve jamais, c'est que mes yeux ont perdu leur force de tout voir.

Enfin, ma route, malgré tout je me la trace toute seule, parce que je connais les endroits où juste y faut placer le pied pour qu'y tourne pas, sur les roches, au-dessus de ce creux qu'on l'appelle « Le Vallon obscur », où les chênes, les charmes et les peupliers se mélangent et font le sombre avec les romarins et les cistes, dans un pelage de thym et de toutes sortes d'herbes qui poussent serré. Alors, y faut que je remonte. Et c'est pas trop commode, mais y a si longtemps que je le suis, ce sentier, que j'en ai l'habitude. Heureusement ! Sinon y aurait de quoi se casser la jambe. Je passe à côté des grands réservoirs qui alimentent La Côste. Là je m'arrête un peu parce qu'y s'y trouve toujours quelque chose pour me plaire, soit des grenouilles chanteuses dans un coin mouillé, soit des pigeons qui se prennent le bain, soit une grosse couleuvre que, pour trop courir après un mulot, elle s'est laissé tomber dans l'eau pareil qu'une imbécile et qu'elle peut plus s'en sortir. L'aider, moi ça m'est guère possible, même quand elle s'approche du bord et que j'y tends ma canne, elle sait pas s'enrouler après, elle retombe comme un bâton mou et petit à petit elle se noie, c'est forcé.

Après les bassins, je dois encore redescendre entre la pierraille blanche et tout en désordre et où juste, un petit sentier vous laisse placer le soulier. De là, je découvre la route nationale qui va vers Apt à travers le brouillard gris des oliviers, puis, tout de suite à droite, presque encastré dans les rochers, y a mon portillon de bois, bien petit à côté d'un paquet de lauriers dont, chaque fois, s'envole quelque gros merle luisant que je dérange. Alors ici, je suis chez moi. Je regarde mes semis de carottes et de persil et mon carré de laitues. Et je vois que mon laurier-tin a ses bouquets roses ou, selon la saison, c'est le buisson ardent qui est rouge de toutes ses boules, ou le fusain avec ses feuilles vernies, ou alors, au premier printemps, les lilas en fleur. Ça alors, c'est ma fierté. Mes lilas, y sont magnifiques! Quand Pauline vivait, la pauvre, qu'elle est morte en neuf jours d'une transpiration refroidie sur ses os, elle venait volontiers en cueillir, de ces lilas. J'ai le blanc qui est simple et le Charles X qui est couleur de vin vieux et puis un double mauve qui est extraordinaire. Y font une haie contre le bas de l'épine montagneuse qui longe mon bien et, de l'autre côté y a mon potager et mon verger où les abricotiers, les poiriers et les pommiers donnent bien du fruit, à ce point que des fois j'en laisse perdre.

Ça me fait réfléchir que j'ai promis à Fonse l'aïguadier, de lui placer quatre poires sur la table avant de remonter à ma maison. Y faut que je le fasse, qu'ensuite je risque de l'oublier. Et puisque j'ai fini de manger, moi aussi je vais m'en prendre pour mon dessert.

Cet Alphonse, il est brave et c'est un gros travailleur. Il a connu Cyprien et y l'a toujours estimé. Estimé... je dis! Maintenant il apprend le métier à Hugues. Il était bien petit, Hugues, quand les choses se sont passées. Ces poires de la Saint-Jean c'est rare si tu y trouves pas un trou fait par une abeille, elles se tirent le jus sucré depuis le dedans avec leurs petites bouches et si tu cueilles pas vite tes poires, tu les trouves toutes pourries.

Là, j'y mets sur la table ! Et tè, j'y ajouterai une de mes belles pivoines, celles qui ont l'odeur de la rose, que les catalogues des fleuristes y leur disent : « Pivoines de Chine » et qu'elles ont des noms genre « Mitsouka » ou « Krachisko », que c'est tellement difficile à prononcer. Moi je dis « Mes pivoines » pas plus. Je la lui cueillerai rien que ce soir, cette fleur, au moment de partir, que sinon y la trouverait flétrie. C'est fragile. Dès que ça sent plus l'humide, tu croirais du papier de soie fripé, au milieu de sa couronne de larges feuilles, découpées comme celles du persil.

Tiens ? Y a un nuage qui passe devant le soleil et dans le lointain, du côté du Luberon, y a un barri noir qui remplit le ciel par-dessus la montagne. Peut-être que je ferais pas mal de remonter à La Côste... Mais non, si la chavanne doit venir, ce sera pas avant la nuit. Et la nuit je serai dans ma bonne maison d'en ville. Alors c'est pas la peine de me faire souci et le souci pour le temps, surtout. S'y pleut demain je descends pas, voilà tout. Qui m'oblige ? C'est un genre d'habitude que je me suis prise depuis que je suis veuve, de venir chaque matin ici. Et faire quoi, je vous le demande ? Réfléchir, pas plus. Réfléchir à perpétuité. Des fois, y se passe la journée que je vois personne, des fois non. Ça m'est égal. En bas, sur la route d'Apt, je vois filer un peu de tout, des gens à pied, des ânes, des attelages et même des automobiles, qu'y m'a fallu vieillir pour voir des machines pareilles, marcher sans chevaux. Ah, des personnes de mon âge, sûr que ça a vu changer les mondes! Je me rappelle, qu'est-ce que je pouvais avoir... dans les plus de vingt ans, dans toute la fraîcheur de ma belle jeunesse... un jour Cyprien me dit, tout agité :

— Tu sais pas? Figure-toi qu'y a des appareils qu'ils ont volé, à Marseille?

— Volé? Et quoi ils ont volé? moi je demande.

— Volé, rien. Que tu es bête! Ils ont volé dans l'air, y se sont enlevés de terre et ils ont volé dans l'air.

— Celle-là par exemple! je dis. Elle est forte. Tu les as vus?

— Et comme tu veux que je les ai vus? Puisque c'est à Marseille? Mais tous les journaux le racontent et y a une foule qui regardait.

J'ai ri, j'étais beaucoup innocente.

— Tu crois que c'est pas les ânes de Gonfaron? j'ai répondu.

— Tu seras jamais intelligente, y m'a dit.

J'ai continué mon travail de cuisine. J'avais les enfants jeunes de cette époque et c'était pas parce qu'une machine qu'y faut que le diable l'aye inventée, était montée seule là où se tiennent les oiseaux, que j'allais changer mon train et m'arrêter de faire mon ménage.

Du coup, j'y pense à mes enfants. Et c'est pas trop souvent que ça me revient, parce que c'est au loin dans ma vie, cette histoire d'enfants! Jeannot, je l'ai guère jamais eu, François il était dans l'Amérique qu'il écrivait chaque fois qu'y lui tombait un œil, après il a été tué à la guerre et Cyprienne ç'a été la grippe espagnole. De trois petits que tu leur as donné naissance, ma belle, y t'en reste pas un pour te faire la tisane à l'heure de la mort. C'est comme ça. Cinq qu'on a été au commencement puis on n'est plus qu'un. Plus qu'une je veux dire. Pas même ton mari. Et c'est là que tu te rends compte que tu laisseras pas plus de traces que la salade que tu en as semé la graine, que tu l'as repiquée, fumée, arrosée, soignée et puis que tu l'as coupée en morceaux, que tu l'as mangée et qu'elle existe plus. Voilà ce que tu as été dans ces quatre-vingt-cinq années de ton existence, ma pauvre Clarisse : Pas plus qu'une salade! Et si c'est pas les gens, c'est les vers qui te mangeront.

*

Dans cette époque, le progrès a commencé de faire des bonds en avant comme la lièvre que le chasseur l'a découverte. Mon Cyprien qu'il était la beauté même et la jeunesse et la gentillesse, qui aurait cru que ce garçon que tout l'amusait, deviendrait sombre, pareil qu'une nuit d'orage? Personne l'aurait pu prédire. Il a fallu moi qui l'ai jamais quitté, pour le voir changer petit à petit et m'en mordre les doigts sans pouvoir rien y corriger. Et comme je me la suis dite tout à l'heure, y faut que j'y vienne au moment terrible... Et tellement ça me fait mal, que je me force à m'intéresser à des autres choses dont je m'en fiche.

Cyprien y dépérissait, y a pas de doute. Pendant l'été

encore, ça a marché de coucher dans sa mansarde. Sûr qu'il devait un peu trop cuire sous les tuiles mais il était venu si maigre que ça devait y plaire d'avoir chaud. Seulement, l'été c'est comme le reste, ça passe. Et quand les platanes ont eu jeté leurs feuilles jaunes et même celles des figuiers que c'est les dernières qui restent, pareilles des poissons plats qui nagent dans l'air, le froid est arrivé et mon mari que, quoi qu'il ait fait je dis « le pauvre », il a commencé de le sentir dans ses os.

— Redescends coucher dans la chambre, je le suppliais. Tu te gèles là-haut!

— Non, y répondait.

Une fois où j'insistais, il a murmuré dans le fond de sa gorge, une chose qui m'a porté réflexion. Je lui faisais remarquer :

— Tu as froid.

Et c'est là qu'y m'a dit :

— Y en a des autres qui ont encore plus froid que moi par ma faute.

— Ta faute? j'ai interrogé.

Il a plus répondu et il est monté dans son grenier.

Moi, je suis restée sotte, pensant que sûr y en avait des chemineaux qui dormaient à l'hasard d'une grange tout ouverte sur la lune glaciale de janvier par sa grande fenêtre carrée au-dessus de quoi pend la poulie pour le foin, mais justement ils ont ce foin où s'entortiller, avec les rats qui leur dansent autour. Je le savais bien qu'y a des gens qui ont pas de maison, mais puisque lui, Cyprien Roman, facteur des PTT il en avait une avec une bonne chambre : armoire à glace, commode, deux

matelas au lit, pourquoi y s'entêtait d'aller se faire souffrir du froid dans les os, là-haut, tout seul, comme un
maoûfatan et parler de sa faute? Je me perdais dans mes
réflexions que j'en finissais plus. Oui, jusqu'au matin où
a commencé le pire des pires. Et encore je connaissais
pas ce que serait la fin.

Alors, j'y portais le café comme d'habitude, à ce
malheureux que jamais y m'en murmurait un merci et
que tantôt y le buvait et tantôt je le retrouvais tel que,
dans la tasse jaune, tout refroidi. C'est du café que je
parle, mais lui, l'homme, il était aussi froid que le café.
Si j'y donnais un bonjour, y répondait une fois sur trois,
mais ce jour-là, l'émotion manque de me faire tomber le
bol des doigts parce que je lui vois, à mon homme, une
tête pareille à celle d'un mort.

Je crie : « Cyprien! » je m'approche, il était tout
renversé sur le côté et sur son épaule et sur son drap y
avait une grosse plaque de vomi jaune à te lever le cœur.
Et au pied du lit et que j'y marche dessus, je trouve une
petite bouteille vide que c'était l'arséniate pour tuer les
fourmis! Je me mets les mains sur la tête! Je crie que je
savais plus quoi crier! Puis je me raisonne : « Tais-toi,
Clarisse, que les voisins vont t'entendre... » Je me prends
ce malade contre moi et je me le soulève et y me vomit
encore dessus en se jetant en arrière et tout ça me tombe
sur la figure que je vomis mon café aussitôt après
lui. Puis je le repose sur le lit, je descends et vite, sur la
lampe à alcool, j'y fais une tisane de thym et je monte
la bouteille de marc et j'y lave tout le visage avec et sur
un grain de sucre j'y en fais avaler de force et y revient

un peu à lui et y tremble et je lui mets dessus tout ce que j'ai de chaud en couvertures et je pleure avec lui en même temps qu'y pleure et je dis dans mes larmes, dans ma morvelle qui m'étouffent :

— Cyprien Cyprien, qu'est-ce que tu as fait ?

Mais jamais y me répond et y continue à trembler, que le lit de fer fait un bruit comme la pluie sur les feuilles... O, quelle histoire ! Je savais plus qu'est-ce que je devais devenir... A la fin je demande en lui faisant boire l'infusion :

— J'appelle le docteur ?

Il ouvre les yeux, y dit dans un souffle :

— Non.

Y se remet à trembler sans parler. Je reprends :

— Ça vaudrait mieux tu sais ? Y te guérirait.

— Non, y dit encore.

Puis il ajoute :

— Je suis guéri. Et le raconte à personne, surtout.

Alors, de l'entendre parler, je prends l'audace :

— Pourquoi tu as fait ça, Cyprien, mon pauvre ? Tu as pris le poison ?

— Non, y dit. Laisse-moi tranquille.

— Mais pourquoi tu as pris le poison ? Dis ? Pourquoi ? Je le vois, la bouteille elle est vide.

— Non, y dit. C'est pas vrai. Descends. Fous-moi la paix.

— J'aime mieux rester près de toi, je dis.

— Descends ! y crie. Ou je t'étrangle !

Et y se lève sur le lit, comme un fou, droit dans sa longue chemise, une statue du commandeur ! La peur me prend, je me recule vers l'escalier, les jambes me tenaient plus droite. Je m'assieds dedans la cuisine, je bois le reste de l'infusion de thym, j'arrête pas de me poser la question : « Mais pourquoi il a fait une pareille chose ? Pourquoi ? Ça doit être la neurasthénie... » J'étais là, avec les mains sur ma robe, comme maintenant et je pouvais pas deviner, bien sûr et je continuais de pleurer en silence.

Un moment plus tard je m'entends appeler : sur un ton faible :

— Monte !

Je remonte. Mon mari était assis sur le lit. Y me dit :

— Je te demande pardon, Clarisse.

Depuis des années y m'appelait plus de mon prénom. Alors, ça m'a fait comprendre que c'était important.

Ah ! pauvres de nous pauvres de nous mon Dieu ! C'était que le commencement du martyre que je devais passer.

— Je vais dormir. Laisse-moi tranquille, y répète. Je voulais seulement te demander pardon.

— Je te pardonne, je dis. Mais tu veux pas le docteur ?

J'en pouvais plus de l'étouffement de mes sanglots.

— Non. Je vais dormir et ce sera passé. Va voir madame Roubieu. Explique-lui sans rien raconter d'autre que j'ai été malade d'une indigestion...

Je vois qu'y se retient de parler, puis y continue :

— Et que je suis beaucoup fatigué. Que je peux plus tenir le service et que je demande la retraite pro-portionnelle.

— Tu as raison, je l'approuve. Quand tu seras bien, tu recommenceras.

— Clarisse, y reprend, je serai jamais plus bien. Tu es ma femme, y faudra qu'à la fin je te dise les choses. Je crois pas que jamais tu puisses me pardonner en plein, seulement quand même y faut que je te dise...

Là, y jette un sanglot que tu aurais cru un aboiement, puis y termine :

— Ça me soulagera.

Oui, c'est de ce moment que le martyre de mon existence a commencé. »

« Ça a duré plus d'un an. Comment on peut supporter ? Plus de trois cent soixante-cinq jours et nuits... Et encore, cette année-là, elle s'est trouvée, comme ils disent : « bissextile » et le mois de février il a eu vingt-neuf jours. Ça en a fait un de plus à souffrir. Le docteur, je l'ai appelé, le même qui avait vu le pauvre Alfred étendu sur les tables en marbre du café de la route et qui avait déclaré que c'était un suicide. Alors, quand il a bien eu regardé mon mari, qu'y lui a eu écouté le cœur, la respiration des poumons, qu'y lui a appuyé sur le dessous des côtes qu'on les lui voyait à travers la peau tellement qu'il était desséché, qu'y lui a eu observé le blanc des yeux, fait tirer la langue, enfin passé partout, même aux endroits que la pudeur t'interdit de les nommer, il est sorti de la mansarde que j'avais honte de voir Cyprien couché là-dedans, à croire que j'y refusais notre chambre commune... Y s'est assis dans ma cuisine, j'y ai versé un petit verre de marc, y l'a bu, puis il a eu l'air de beaucoup réfléchir. Y avait Mastre et Pauline qui étaient venus pour me soutenir. Et lui, ce médecin, il a dit alors :

— C'est un malade imaginaire.

— Imaginaire ? Comme, imaginaire ? j'ai dit. Un homme qui arrête pas de souffrir ? Vous l'entendez pas, vous! C'est toujours des : « J'ai pas faim, » ou « Je peux pas dormir, » ou « J'ai mal à la tête » ou « Mon cœur y m'étouffe »... Quand y parle, bien entendu, parce qu'y parle pas souvent.

Toutes ces explications, elles m'étaient sorties ensemble de la bouche sans que j'aie le temps de les préparer et sitôt après, je m'étais dit : « Quand même, tu répliques de cette façon à un docteur... » Mais y s'est pas étonné, il a continué :

— Oui, il souffre vous avez raison, mais c'est son mal imaginaire qui en est la cause. Laissez-moi vous expliquer : Son pouls est normal, son cœur est bon, sa tension est moyenne. Il n'a ni l'intestin ni le foie attaqués. Je ne peux pas dire que cet homme est malade et cependant il est, de toute évidence, extrêmement diminué.

Pauline et Mastre se taisaient. Moi, j'ai eu le courage de demander :

— Et en quoi, monsieur le docteur, il est diminué ?

— En tout, il a répondu. Vous devez bien vous en être aperçue vous-même qui êtes sa femme. Avouez-moi la vérité : Vous avez encore des rapports ?

— O non ! j'ai répondu. Depuis longtemps.

— Il n'a pourtant pas la complexion d'un ennuque, il a dit, ni l'âge d'un vieillard. C'est un homme qui est attaqué par le masochisme dans toutes les parties de son corps.

Nous savions plus que répondre, les uns et les autres, parce que c'était difficile à comprendre, tous ces mots savants.

— Et que faire ? j'ai demandé à la fin.

159

Le docteur a baissé la tête, puis il a repris :

— Il faudrait peut-être qu'il change de pays. D'ambiance... Qu'il mène une autre vie. Qu'il puisse arriver à oublier la sienne. Mais le voudra-t-il ? Ces malades qui paraissent sans volonté, ont une terrible peur lorsqu'il s'agit de corriger leur existence.

— Vous pensez, docteur, a coupé Mastre, que son existence elle lui plaît plus ?

— Oui, je crois que c'est un homme détaché de tout ce qui l'intéressait. Il est à la retraite ?

— Proportionnelle, j'ai dit.

— Eh bien, il peut la prendre en plein, parce que pour faire la tournée il ne faut plus compter sur lui et on ne doit pas le laisser seul.

Il s'est tu encore une minute, ce médecin, puis il a expliqué :

— Parce que, madame, et vous qui semblez ses amis, je préfère vous avertir : C'est un homme qui est au bord du suicide. Qu'il rencontre une mare ou qu'il ait un fusil en mains et je ne réponds pas de lui.

— Mon Dieu ! j'ai crié en me mettant les doigts sur la figure.

— Et comment il en est venu là ? Mastre a interrogé.

— Je ne sais pas, le docteur a dit. Il a dû recevoir un choc, je suppose ? Il ne lui est pas arrivé un accident ?

— Jamais, j'ai dit.

— Une grosse émotion ?

— Ben, Pauline a répondu, c'est certain que quand la pauvre petite Marise a été trouvée étranglée dans le ruisseau des saules que jamais on a su qui c'était...

160

— Oui, Mastre a coupé. Et après, quand l'Alfred s'est pendu sous le lavoir couvert...

— Ah, cette affaire Simonin? le docteur a repris. En effet, ç'a été assez tragique. Mais votre mari n'y était pour rien?

Il s'était tourné vers moi, le docteur et j'ai dit :

— O bien sûr! Mais cette petite et aussi l'Alfred, c'étaient nos amis et forcément ça l'a impressionné.

— C'est déjà vieux, ce drame. Son cerveau a dû l'assimiler depuis longtemps. Il n'y a guère de raison que ce soit la cause qui le mette à présent dans cet état d'asthénie? Nous nous trouvons devant le mystère du subconscient qu'il nous est difficile de pénétrer.

Mastre, Pauline et moi nous se taisions, parce que c'était un raisonnement que nous ne comprenions guère. Enfin, le médecin s'est levé, en soupirant sur le seuil de la porte :

— Ah, nous sommes de grands ignorants!

Et il est parti. Alors nous avons entendu comme un petit bruit de source qui venait de la mansarde et nous avons compris que c'était Cyprien qui pleurait.

*

Après, le lendemain, les autres jours, que faire? Comment soigner quelqu'un qui veut rien? Porter secours à qui te refuse tout? C'est pas possible. Moi, du souci, je commençais à perdre mes jupes, tellement le tour de taille me diminuait. Mastre se prenait le temps de venir, les soirs, après son travail et Pauline aussi et même le neveu Pessegueux qu'il avait à faire à sa forge. Mais je les comprenais ces braves gens, braves que braves ils avaient l'ouvrage qui les commandait et c'était pas possible qu'ils passent leur temps à côté de ce lit de fer, qu'à présent Cyprien refusait de le quitter.

Y faisaient bien tout ce qu'y pouvaient, mais quoi? Mastre demandait :

— Qu'est-ce que tu as, Roman?

— Rien, répondait mon mari.

— Qu'est-ce que tu te sens?

— Rien.

— Qu'est-ce que tu voudrais?

— Rien.

— Hé merde à la fin! Mastre disait. On fait tout ce qu'on peut pour t'aider à survivre et tu tentes pas un effort.

— Je m'en fous, mon mari répondait encore. Laissez-moi crever tranquille, c'est tout ce que je vous en prie.

Pauline reprochait à Mastre d'être trop vif.

— Y faut le prendre par la douceur, elle disait.

Alors elle s'avançait contre le lit, elle l'interrogeait pas, elle parlait d'une voix calme :

— Y fait un temps de roi, Cyprien! On va au moulin de la route d'Apt, chercher la farine. Vous voulez pas venir avec nous autres? J'aide votre femme à vous habiller, d'abord y a un soleil magnifique, et ça vous distraira. La dame, de sûr elle nous offrira la Chartreuse et ça vous donnera d'appétit.

— Non, y disait. Allez-y vous autres.

Et y tournait la tête contre le mur.

— Vous êtes pire que l'âne de Jean le testard! Vous savez, celui qu'on racontait qu'il était encore plus têtu que son maître qui l'était plus que tout le monde? Et que de testardise y s'est laissé mourir? Même une fois y a eu une rigolade que...

Cyprien la coupait net :

— J'ai pas envie de rigoler.

— C'est désespérant! elle disait.

A la fin, ils ne sont plus venus, ces gens. Je les comprends. Et j'ai commencé à connaître la solitude qu'on peut sentir, à côté de quelqu'un qui se veut seul.

« Ne le laissez pas seul », le docteur avait dit. Seul de corps, non, jusque même après sa mort il l'a jamais été. Mais seul parce qu'y s'enfermait dans ses idées, ça oui et on ne peut pas rentrer dans la tête et dans le cœur de personne, même de celui qui vous a choisie, qui vous a faite femme, qui vous a donné trois enfants et qui a vécu à côté de vous toute son existence. Et ça, c'est plus épouvantable que tout.

*

Il s'en est passé et passé et passé, des heures des jours des années depuis ces moments, mais les oublier, j'ai jamais pu. Il y a eu une époque où j'avais des terribles cauchemars. Dans les nuits, j'entendais frapper des coups contre ma porte : deux, trois, quatre, des fois six. Nets comme le choc du noueux des doigts contre un panneau. Je m'éveillais en sursaut, je croyais que c'était Cyprien qui m'appelait et alors je voyais que j'avais sur la tête une espèce d'échafaudage, allez comprendre quoi... D'abord, une grande étoile noire découpée dans du bois, dessus un tas de quelque chose comme du foin ou de la laine et encore dessus, je sais pas quoi, un bouquet de grosses plumes épaisses je crois? Et je pensais : « Comment je vais faire pour me lever avec cet énorme paquet qui me pèse sur la tête? » Et j'étais toute en sueurs froides. Puis je n'arrivais plus à me rendormir, je restais à attendre la sonnerie de ma vieille horloge, c'était toujours vers les trois heures : C'est une mauvaise heure où le jour nouveau balance de se lever, de choisir entre le vent la pluie ou le soleil et savoir si oui ou non, il accepte de renaître.

L'été s'était noyé dans les pluies de septembre et Dieu merci il faisait jour moins tôt. Quand on dort on peut arriver à plus penser, des fois. Mastre ni Pauline n'osaient plus guère venir, tellement Cyprien, ou bien leur accordait pas la parole ou bien les ramassait comme du poisson pourri.

— Vous venez voir si je suis pas encore crevé? y leur jetait. Vous en faites pas, ça sera bientôt. Vous avez plus guère à attendre.

Ceux-là, ils ne savaient plus où se mettre et moi j'en avais honte. Alors, ils repartaient tous les deux en remuant la tête :

— Pauvre Roman... ils soupiraient, c'est pas de sa faute, c'est le mal qui le rend mauvais. On peut pas lui en vouloir.

Ni Teisseire ni le neveu Pessegueux et sa femme non plus ils y comprenaient rien, ni madame Roubieu que celle-là, maintenant, elle avait pris un remplaçant pour ainsi dire, définitif. C'est comme ça que je me suis habituée à rester seule avec mon moribond. Car c'était ce qu'il était devenu : un moribond, mon beau Cyprien des Balandres, avec la mèche frisée sortant de côté du képi! Et de gré de force, cette vie il a fallu l'accepter. Ici, au cabanon, ne parlons plus d'y venir, j'avais pas une minute et j'en avais perdu le goût. Le chiendent et les bouillons-blancs poussaient comme des arbres, les ronciers envahissaient la vigne ; les lilas séchaient sur pied avant de fleurir, les oliviers étaient dévorés par les rejets sauvages, tout retournait à l'abandon dans cette terre de Diailles que nous y avions tant mis de notre sueur.

Et si c'était de dire que je lui servais à quelque réconfort, à Cyprien, mais non... Y me parlait pas, sauf pour réclamer une tisane ou bien le pot. Il avait décidé de plus se lever.

— Au moins, j'ai insisté un soir, si tu te laissais installer dans la chambre, non pas de t'obstiner dans cette mansarde, ça serait plus commode et...

— Non, y me coupait net.

— Fais-le pour moi si c'est pas pour toi. Mes jambes elles commencent de demander grâce.

— Tu as que de me laisser crever seul. J'ai besoin de personne.

— Merci! je répliquais.

— Je suis trop malheureux, alors il disait. Tu le comprends pas?

— Mais de quoi? je demandais. De quoi? Tu as rien

de touché dans le corps et y semble que tu te laisses mourir exprès?

— C'est ce que j'ai de mieux à faire, une fois y m'a répondu.

Je me suis mise bien près de son lit. J'ai commencé :

— Enfin Cyprien, écoute-moi : La vérité de ton mal, y faut qu'elle sorte à la fin! On croirait que tu as avalé un serpent qui te remplit de son venin. Qu'est-ce que tu as? Qu'est-ce que tu as? A ta femme tu peux pas le confier? Tu as oublié quand nous étions jeunes et si désireux un de l'autre que nous voyons plus venir le soir pour nous coucher ensemble? Et je le sais bien que tu m'aimais. Pareil que moi je t'aimais... Tu te rappelles plus la fois que nous avons pas pu attendre la nuit et que nous étions tellement pris dans notre plaisir d'amour que nous avons glissé un sur l'autre jusqu'en bas du talus d'herbes? Dans les menthes et dans les valérianes du ruisseau...

Moi, j'avais dit tout ça sans le regarder, en baissant la tête au souvenir de cet instant qui avait été ma révélation de femme et tout d'un coup je me suis reculée, j'ai été épouvantée parce que j'ai eu un fou devant moi. Debout, redressé par une force extraordinaire, tirant son drap comme un linceul et aussi blanc que lui, mon mari m'a crié :

— Tais-toi! Garce que tu es! Saloperie! Me parle jamais plus de ruisseau! Du ruisseau, jamais! Tu entends? Jamais du ruisseau! Jamais des menthes! jamais des valé... des va... des va...

Et il était tombé du lit, d'un bloc, tremblant de tous

ses membres, claquant des dents avec de l'écume qui lui sortait de la bouche, avec les yeux qui s'étaient remontés pour plus montrer que le blanc... O mon Dieu qué peur! J'ai crié après les voisins, Mastre est venu, les bras encore pleins de farine. Pauline a appelé Pessegueux, on a remis mon pauvre homme sur le lit où il est resté immobile comme une statue de plâtre. Nous l'avons frotté d'alcool, nous y en avons mis par force dans la bouche, y nous a vomi dessus, Pauline pleurait, moi c'est pas assez de le dire, ô Seigneur ce qu'y faut supporter! Après, c'est moi qui me suis évanouie, je me suis retrouvée dans ma chambre avec Pauline près de moi, tandis que Mastre gardait Cyprien dans la mansarde.

Quand j'ai ouvert les yeux, les larmes m'ont coulé seules. Pauline m'a dit :

— Ma pauvre, j'ai peur qu'à la fin y te faille le mettre à la maison des fous, tu sais?

— O non! j'ai encore pleuré. Ça jamais! Je le soignerai jusqu'à la fin. C'est mon mari.

— Y pourrait devenir dangereux. Ça nous fait souci pour toi.

— Moi, j'ai répondu, j'ai mon devoir à faire de l'assister. Et je le ferai.

J'ai pris l'énergie de me relever et je suis remontée près de Cyprien, j'ai dit à Mastre :

— Vous pouvez partir. Je reste là.

Y m'a regardé, ce brave ami, y m'a demandé :

— Seule?

J'ai encore dit :

— Oui. C'est mon mari. Je dois rester. Vous pouvez aller vous coucher tranquilles.

— Si besoin est, y faut nous appeler vite, Pauline a recommandé. Je laisserai la petite fenêtre du chambron ouverte, pour mieux t'entendre.

— C'est ça, j'ai dit. Merci.

Ils sont partis et je me suis assise au pied du lit de Cyprien et j'ai su que pleurer.

*

Depuis cette époque j'ai usé mon malheur toute seule avec cet être qui parlait que pour t'insulter. J'ai pensé qu'il le fallait. Que plus personne, même les meilleurs voisins, sauf Pauline, ne devaient revoir mon mari dans l'état où il se trouvait. Alors je disais aux gens qu'il allait mieux. Et comme le mois d'octobre était clair dans le ciel des matins, et que le froid était pas trop pénible, les femmes restaient encore à s'asseoir un peu devant le seuil des maisons, avec le tricot dans les doigts ou les enfants sur les genoux. Les travaux reprenaient dans les champs. Mastre, un jour, me demande :

— Alors, ce bien de Drailles, vous l'abandonnez en plein ?

— Hé qu'est-ce que vous voulez, mon pauvre ? je réponds, je peux guère m'en occuper.

— Si j'allais le travailler peu que peu le soir ? Vos oliviers, ils ont des rejets gros comme des arbres et l'année qui vient, vous aurez point de légumes si on sème rien ?

168

— Tant pis, je dis. Quand le malheur se colle après vous, c'est comme les tiques après les chiens. Tout le sang y passe.

A lui je confiais ça, mais aux femmes bavardes je répondais :

— O! Y va beaucoup mieux, mon mari. Guère de temps et il se lèvera. Nous verrons vers le printemps qu'il fasse plus chaud.

— Ah, tant mieux! on me répliquait, vous le sortirez un peu sur la porte au bon du soleil de midi, ça y donnera des forces.

— Oui, je disais, c'est ce que je ferai un de ces jours.

Et vite je filais vers ma maison, je quittais le pain et la viande sur la table de cuisine et je montais à la mansarde. Je regardais Cyprien et chaque fois je savais que penser : « Y semble un mort. »

C'est vers ce moment, à la fin d'octobre, qu'il m'est arrivé de quoi augmenter encore ma misère : La mort de Pauline. O ça! Cette injustice de plus sur nous autres... Cette femme qui vient travailler avec Mastre, à Drailles, ici, au cabanon, là, sur cette terre que j'ai devant les yeux tout ce temps d'aujourd'hui où je suis en train de réfléchir, cette femme si brave qui me dit :

— Tu sais, j'ai décidé qu'un soir sur deux, j'irai avec Mastre, pour te semer les petits pois et te soigner tes plantes, pendant que lui, y fera le gros travail. Au moins, cet été, quand Cyprien sera mieux, vous vous trouverez des choses fraîches à manger.

— Merci, je réponds, tu es gentille.

169

Elle y va, elle s'échauffe à l'ouvrage pour mieux nous rendre service, puis il lui prend une lassitude, elle va s'asseoir sous le laurier que son ombre est épaisse comme une pâte noire, elle rejette son fichu de cou, elle respire un moment, puis elle revient vers Mastre, elle a un frisson qui lui court dans le dos, elle lui dit :

— J'ai peur que je me soie prise froid.

Lui, y se met en colère y m'a raconté après, y lui reproche :

— Aussi, quelle idée! Toute suante que tu étais, de te mettre sous cette ombre! Ça t'a gelé les os. Va vite à La Côste, bois-toi un vin bouillant avec de la cannelle et couche-toi.

Pauvre Pauline! Elle avait pris la congestion pulmonaire. Neuf jours et il a fallu la porter sous les cyprès du cimetière... Ma belle Pauline si belle si brave! Et moi j'ai perdu une amie que jamais je me la suis remplacée.

Je lui ai porté de l'aide bien sûr. Tout ce que j'ai pu. J'ai quitté Cyprien pour elle. Je m'étais loué le petit Jacquet pour le garder et je soignais celle qui, pour nous autres, avait pris le mal de la mort.

Il s'était mis à pleuvoir dans ce début de novembre. Pour la Toussaint, Philomène Pessegueux m'avait cueilli un gros bouquet de chrysanthèmes de son jardin, des rouges feu avec le revers jaune et nous les avions portés ensemble sur la tombe de la petite Marise. Y a eu que notre bouquet. Ninette Simonin était toujours dans sa maladie et Hugues, pauvre niston, il était encore trop petit.

Tant que Pauline a pu parler, nous avons parlé un peu de tout. Dans sa chambre qui s'ouvre sur une sorte de véranda au nord, je lui faisais des petits feux de bois, pas des gros parce que ça lui donnait la fièvre et en jetant les brindillons de branches sur les chenets, nous nous remémorions toutes les choses de notre vie. C'était pas toujours gai bien sûr, pourtant à des moments nous faisions des rires en parlant de madame Bugeaud qui courait après le jardinier Robin et racontant à qui voulait l'entendre qu'y lui avait proposé le mariage ! Mais, en général, nous étions plutôt tristes. Moi, je disais à Pauline :

— Quand ta maladie sera guérie...

Elle me coupait doucement :

— Ma maladie se guérira pas et vous le savez bien, toi et Mastre... Ça m'a pris dans mon plus profond.

— Pourquoi tu as cette mauvaise idée ? Je demandais. Tu es ridicule.

— Parce que c'est vrai. Que les autres me mentent, mon mari aussi, passe. Mais pas toi que tu es mon amie.

Je savais plus quoi répondre et ma poitrine était serrée comme dans un sac mouillé.

Et voilà : C'est un matin à sept heures, comme j'étais en train de m'occuper de Cyprien, qu'il y avait peut-être trois jours qu'y m'avait plus adressé la parole, des doigts relèvent en bas, contre ma porte, la main de cuivre qui tape sur une boule et trois quatre fois, la laisse retomber dans un geste pressé. Je descends. J'ouvre. Je trouve Philomène Pessegueux, blanche comme un navet et qu'à peine la voix peut lui sortir :

— Pauline est morte, elle m'annonce.

Je reste sans parole.

— Y a un quart d'heure. Mastre m'a fait prier de vous prévenir tout de suite.

— Mais elle allait plutôt mieux hier?

C'est tout ce que j'ai pu dire. Et j'ai même pas pu pleurer. J'ai demandé :

— Gardez-moi un peu Roman, j'y vais.

J'ai vite mis un fichu sur la tête. Ce mois d'avril il avait pas encore fait fondre la neige sur les sommets. J'ai couru. Devant Mastre, j'ai pu pleurer, ça m'a fait du bien. Il m'a dit qu'elle avait pas souffert, qu'elle s'était éteinte comme une lampe. Et elle avait l'air si tranquille que ça m'a pas causé d'impression. Mastre m'a raconté que toute la nuit elle avait été, comme le médecin l'a expliqué après, dans le coma, mais que lui, son mari, y croyait qu'elle dormait et que ce petit râle qui la quittait pas, y l'avait pris pour une respiration de sommeil.

Enfin voilà, ma pauvre Pauline, je l'ai plus eue dans la vie... Et je me suis trouvée sans amie pour le reste de mes jours. Et avec ce mari que je ne me doutais pas encore de tout ce que j'aurai à savoir de lui. »

« Là-dessus le mois de mai est arrivé. Les quatre saisons de la terre elles se font. Que tu soyes heureuse ou malheureuse, que tu vives ou que tu meures, le travail continue sous tes pieds. Les jacinthes ressortent du sol, l'herbe prépare sa graine, le cyprès grandit d'un demi-mètre et le cèdre étend une plate-forme de plus. L'olivier fleurit, puis y laisse tomber sous lui l'arrondi d'un drap fait d'étoiles blanches, y forme son petit fruit vert, à peine gros comme une tête d'épingle, puis ça devient l'olive, puis à la fin de l'an elle est noire et on la confit dans l'huile pour la manger. Et comme ça depuis combien des siècles ? Y faut être savant pour le dire. Tout recommence. Et nous autres, nous regardons. De temps en temps un arbre se meurt, ou une fois c'est un homme ou une femme... On se demande à quoi ça peut servir d'être là ? Y a des bons moments, je dis pas le contraire, surtout quand tu es toute jeunette et que tu comprends pas grand-chose à rien, mais alors tu réfléchis pas, c'est ce qu'y faut. Si tu te laisses aller à réfléchir, tu es perdue.

Enfin, c'était le mois où mes lilas ils étaient comme en folie. J'étais venue en couper pour les mettre sur le tombeau de Pauline, que Mastre le lui avait fait élever en marbre et que je savais comme elle les aimait, Pauline, mes beaux Charles X. Et c'est ce même jour, vers le soir que Cyprien s'est mis à me faire sa confession. Je pense à présent qu'il aurait mieux valu qu'y se la garde.

Pour jusque à ma dernière seconde d'existence où le souffle me passera, celui-là, cet homme, y m'a chargée de sa misère personnelle que c'était bien lui seul pourtant qui en était responsable.

Alors, voilà comment ça s'est passé : Les lilas défleuris et juin ayant suivi mai, sous la génoise de l'hangar en face de ma maison, les hirondelles arrêtaient pas de faire leur va et leur vient. Quand les parents restaient trop de retourner au nid avec quelque moucheron, tu voyais les quatre cinq petites têtes qui sortaient du bord de ciment et c'étaient des cris d'appel jusqu'à ce que la nourriture leur tombe dans le bec. Moi, assise devant l'ouverture carrée de la mansarde, j'étais juste à leur hauteur pour les distinguer et c'était un de ces soirs où le soleil parvient plus à s'éteindre et je regardais ces oiseaux en me demandant qu'est-ce qu'y devenaient, tous ces petits qui naissaient tous les ans sous toutes les toitures de La Côste et d'ailleurs ? Je savais qu'ils partaient vers l'Afrique aux premiers froids et je pensais qu'y devait en mourir beaucoup dans cette longue route par-dessus la mer. Je pensais ça... A vrai dire je pensais guère rien, je me laissais aller à me reposer parce que je commençais à sentir la fatigue dans les jambes que j'y ai les varices, à la force de monter et de descendre mon escalier. Cyprien, il était immobile depuis plus d'une heure que je lui avais servi une bouillie de farine

174

chocolatée et j'attendais qu'y soit endormi pour aller dormir aussi, tout en regardant ces hirondelles ou de temps en temps, mon mari, raide comme un mort avec les bras allongés, ses doigts ramenés en griffes sur le drap et les yeux levés au plafond. Les yeux grands ouverts où tu sentais brûler une espèce de fièvre de folie. Alors je patientais et tout d'un coup, un soir, voilà que dans le silence qui s'était fait dans notre rue où le monde se couche tôt, j'entends une voix me parler, mais une voix drôle, une voix pareille que si je la connaissais pas. Et cette voix appelle :

— Clarisse !

Ce prénom, depuis tant d'années qu'y me le donnait plus, y me frappe comme une chose extraordinaire. Je crois de rêver, je bouge pas et j'entends encore :

— Clarisse !

Puis :

— Ecoute-moi, je dois te parler.

Cette voix, elle était claire comme l'horizon du ciel que je regardais, derrière l'ondulation des collines.

— Tu m'appelles ? je dis.

— Oui. Ecoute-moi.

— Tu as besoin ? je demande.

Et je me baisse pour prendre le pot que je croyais que Cyprien avait envie d'uriner.

— Non. Laisse. C'est pas ça, y dit. Ce que j'ai besoin de m'en vider, c'est plus important.

Y avait bien trois mois qu'il avait pas lâché tant de paroles à la suite.

Je me lève pour venir près de lui.

175

— Non, il répète. Reste où tu es. Même, tourne ta chaise en plein. Y faut pas que tu me regardes. Autrement je pourrai pas parler. Tourne ta chaise.

J'y obéis. J'avais toujours imaginé qu'il arriverait à perdre la raison et le docteur avait recommandé de le contrarier en rien. J'avoue que j'étais pas tranquille, mais je me dominais.

— Ça va bien, je réponds. Si tu veux dire quelque chose, je t'écoute.

Là-dessus y tombe un grand silence. Y a des gens qui vous racontent dans ces cas : « Un ange passe. » Je sais pas si c'est un ange ou l'aile du diable, mais c'est alors que, de la voix la plus paisible, Cyprien me dit :

— Tu sais, Clarisse, c'est moi qui l'ai étranglée.

— Quoi ? je dis. Quoi ?

Je m'étouffais dans ma parole.

— Oui, y reprend de ce même ton, le ton qu'on donne le bonjour à quelqu'un, oui, la petite Marise, c'est moi qui l'ai étranglée.

J'avais plus le pouvoir de tirer une réponse de ma gorge. Y répète :

— C'est moi qui l'ai étranglée.

Puis encore :

— C'est moi qui l'ai étranglée.

Alors un hurlement me sort du profond de moi que je sais pas la force qui l'a fait jaillir :

— Tais-toi ! je crie d'un cri de bête. Tu es imbécile !

Et comme je devais être énervée au possible, les larmes me sautent des yeux sur le corsage. Je m'attrape la figure dans les mains, je me la serre, je me la frotte :

176

— Tu es fou! Tu es fou! je lui jette. Qu'est-ce qui te prend d'aller chercher des idées pareilles?

Un silence de tombe se répand à nouveau sur nous, la tête me tourne, puis la voix de Cyprien se remet à me rentrer dans les oreilles et elle dit encore et encore une fois :

— Oui, c'est moi qui l'ai étranglée.

— C'est pas vrai! je crie tant que je peux.

— Tais-toi, il dit. Si tu veux pas que les voisins entendent et qu'on vienne me prendre pour me couper la tête, tais-toi. Seulement ça empêche pas que la petite Marise, c'est moi qui l'ai étranglée.

— Oh! je gémis.

Je suis vaincue, je suis écrasée, j'en peux plus, je crois que c'est moi qui suis devenue folle... Cyprien des Balandres, le facteur avec la mèche frisée au bord du képi des PTT. « C'est un fonctionnaire parfait », elle disait des fois, madame Roubieu. « C'est un bon copain, y disait Mastre, depuis l'école on s'est jamais disputés, moi j'ai été juste capable de faire la boulange parce que l'instruction elle m'a manqué, mais lui y sait tous les chefs-lieux des départements... » Et Pauline elle disait : « Te plains pas. Tu as de la chance, si ton père t'a manqué, tu as rencontré un bon mari. » Cyprien Roman, le jour du mariage : « Acceptez-vous de prendre pour épouse mademoiselle Clarisse Barges? » Son oui il a sonné comme une cloche. Et moi j'étais dite de : « Père inconnu. » Ça lui a rien fait, il a dit oui que ça a sonné clair comme une cloche. Cyprien Roman facteur des PTT avec l'uniforme et la retraite et tout le monde qui le voyait arriver avec le sourire. Cyprien Roman, tu as étranglé cette petite? C'est pas vrai ou alors tu étais déjà fou...

Et d'une voix de glace que cette fois je l'étouffe dans ma gorge, je demande :

— Tu mens pas?

— Non, il dit. C'est jusqu'à présent que j'ai menti, et je peux plus supporter. Parce que maintenant je sais que j'en ai plus pour longtemps. Des chats enragés me rongent le ventre et ma poitrine c'est un feu qui brûle. Alors y faut que je me lève ça de dessus. Et sur qui je peux le mettre, à part toi? C'est toi qui es ma femme, c'est à toi que je dois tout raconter et que tu saches tout...

— O! Quel malheur! je dis. Et l'Alfred y s'est pendu sous le lavoir couvert et Gustine et Berthe Bugeaud qui croyaient que c'était lui. Et la Ninette qui s'en meurt...

— Me parle pas de Simonin! Me parle pas de Ninette! C'est rien que de moi qu'y faut me laisser parler! Tu veux? Tu veux? Clarisse, je t'ai choisie quand j'étais jeune, tu te rappelles comme je te désirais, comme je t'aimais, comme nous avons eu les trois petits ensemble et toute une vie à partager la même soupe? Y a un an et demi que je te parle plus, parce que j'avais peur que la vérité, elle me sorte seule de la bouche et je voulais pas et je voulais pas...

— Tu es un lâche, j'ai dit froidement.

Et je me suis tournée vers lui, je l'ai regardé droit dans les yeux et si mes yeux ça avaient été des fusils, y tombait raide mort. Et je pensais : « O oui, au moins s'il était mort! Avant de me mettre au courant de ces choses, c'était fini! L'Alfred pendu, le malheureux, mais on avait commencé de plus s'en souvenir et la Ninette elle est à Apt, on la voit plus guère. Alors, c'était pas la peine de remettre ce drame sur le tapis et Cyprien serait mort, que de sûr le docteur m'a bien certifié qu'y verrait pas l'hiver prochain, eh ben comme ça y s'en parlait plus et tout ça m'aurait été épargné. Salaud, va! »

— Tu es un lâche, j'ai redit.

— Oui, je sais, il a répondu.

— Hé ben maintenant, puisque tu as tant fait que de la vomir, cette merde qui te pesait sur la conscience, maintenant tu peux parler, je suis de force à t'écouter sans te cracher à la figure. Allez! Parle! Alors cette petite, c'est toi qui l'a étranglée?

— Oui.

— Et pourquoi? Elle était brave, nous l'aimions tous. Pourquoi tu as fait ça, bougre de brutasse?

— Ecoute-moi! Ecoute-moi! il a gémi. Y faut que je t'explique... Ça s'est fait si drôlement, si presque sans que je le veuille, que si tu me laisses pas t'expliquer, jamais je pourrai me débarrasser...

— Allez! Débarrasse-toi, j'ai dit.

Et j'ai écouté sans l'interrompre.

Alors... oh, ce qu'y ma raconté c'est horrible! Comment on peut arriver à faire des choses pareilles? Et nous étions seuls, dans cette mansarde basse de plafond, avec juste l'ouverture sur la nuit qu'une étoile y brillait qu'elle avait l'air de nous surveiller et que j'ai pas pu supporter sa lumière, j'ai fermé le petit volet et j'ai joint

179

mes mains sur mes genoux remontés, pareil que quand on prie et pourtant c'est pas que je soye dévote et y me semblait que tout le malheur du monde s'était ramassé sur nous.

— Tu comprends, il a dit Cyprien, tu comprends, voilà ce qu'y faut que je t'explique. C'est les circonstances qui ont tout fait. Et c'est Simonin aussi. Y devait pas laisser la petite seule avec moi...

J'écoutais cette voix qui était semblable à un de ces râles de ce vent de mauvaise saison qui se glisse sous les portes et qui vous fait peur et j'écoutais parce qu'à présent y fallait que je sache, parce que je pouvais pas faire autrement que de savoir.

Mais alors y a eu encore un silence terrible, celui qui doit se faire au pied de l'échafaud quand la lame touche le cou du condamné et j'ai vu mon mari se tordre comme une vipère sous le couteau et la parole voulait lui sortir de la bouche, mais ses dents claquantes et la bave lui empéguaient la langue et la respiration lui manquait.

Je me suis rappelé qu'une fois un garçon que je connaissais m'a dit : « On peut coucher ensemble depuis cinq ans et être aussi loin un de l'autre qu'à mille kilomètres. » Oui, c'est des choses possibles y faut croire et qui vous font dresser les cheveux sous le chapeau de paille noire. Moi, ça faisait alors une année et demie que je vivais à côté d'un assassin qui était mon mari? Et j'en savais rien? Ces têtes d'hommes et aussi bien de femmes, elles sont enfermées sous leurs écorces, comme les grenades tè! Qui sont si dures et que si tu veux y mordre c'est d'une amertume de fiel. Et dedans... O oui c'est bien le genre de ces grenades, y a encore des peaux épaisses qui les séparent. Des compartiments. J'en ai un buissonnement, de ces grenadiers, sur le talus derrière mes lilas. Y font pas grand-chose, rien de doux, juste des petites boules où le grain ne mûrit pas. Mais elles sont pareilles que les bonnes : Dedans, je le redis, les compartiments sont séparés et protégés comme si c'était quelque chose de valeur. Dans les têtes des gens, ça doit être pareil, c'est pour ça qu'on se comprend pas mutuellement. Si on ouvre pas juste dans le compartiment qui ressemble au vôtre, on trouve rien de ce qui vous plaît, ou bien alors si on le trouve, on croit qu'on est d'accord, on se repose sur cette idée : « Je suis heureuse, il est heureux. » Mais on peut pas deviner que derrière la petite peau, y a toutes sortes de grains verts, âpres et qui vous détraqueraient l'estomac si vous les mangiez. Et on se croit tranquille.

*

Oui, c'est ça que j'ai été, moi, tranquille : Pendant toutes les années de mon mariage avec Cyprien, sans savoir que derrière la petite peau de séparation, y avait la cervelle de cet assassin qui était mon mari.

Après ce long silence où il essayait de reprendre son souffle et où moi je réfléchissais, y s'est remis à parler, cet homme qui tenait absolument à se débarrasser de son poids. Et y fallait bien que je l'entende, il m'était impossible de me boucher les oreilles. Alors il a repris par le commencement. Et sa voix était sourde et basse :

181

— Simonin, il aurait pas dû laisser la petite seule avec moi dans ce pré... Lui, il a coupé ses branchettes de saules, puis il a mis son fagot sur le dos et il est parti. « Tu vas venir bientôt, qué, Marise? » il a jeté en s'en allant. — Oui papa, elle a répondu, je cueille encore quatre veilleuses qu'elles sont belles. — Bon, il a dit, au revoir. La petite, tu sais comme elle était déjà ronde de formes, elle se penchait en avant pour chercher ses fleurs et moi je pouvais pas... O Clarisse, tu comprends je pouvais pas m'empêcher de voir ses jambes nues au-dessus des socquettes et encore au-dessus, la peau de ses cuisses, toutes rosies par l'air et que je les sentais fermes comme le marbre. Je pouvais pas m'empêcher...

Moi, je me mordais le poignet pour pas l'interrompre, j'arrêtais pas de répéter en dedans de moi : « Salaud! Salaud! » Mais j'avais plus la force de parler, je l'aurais tué.

Il y a eu encore un silence. C'était forcé. Y pouvait pas tout cracher à la fois, mais à présent y m'avait pris une envie de tout savoir qui me faisait trembler de tout mon corps, serré contre mes doigts joints et paraître une vieille femme comme je suis devenue.

J'ai demandé :

— Tu pouvais pas t'empêcher de quoi?

— D'avoir le désir d'y mettre les mains contre cette peau de cuisses que je la sentais douce comme celle des pêches avec ce fin velours de duvet doré... O Clarisse, Simonin il aurait pas dû me laisser sa petite, belle comme ça à ma portée...

— Y te croyait pas un salaud! j'ai dit.

Je crois qu'y m'a pas entendu. Y suivait son idée. Je voyais ses yeux comme des globes d'émail dirigés vers le plafond. C'est tout ce qui brillait dans la mansarde que j'en avais privé la lumière de l'étoile qu'elle m'aurait fait honte. Il a continué :

— Je me suis approché. J'ai semblé de l'aider à choisir les fleurs. Elle s'est avancée vers le ruisseau, j'y ai dit : « Viens ici, y en a des plus grosses. » Et c'est là que j'ai plus pu tenir j'y ai envoyé la main...

— Où ? j'ai crié.

— Où tu penses, il a dit. Et elle s'est relevée si vite que ma main elle est restée prise. O Clarisse c'était doux comme le velours de la pêche. O Clarisse je voudrais pas l'avoir fait, mais je pouvais pas... Je demande pardon j'ai pas pu m'en empêcher !

— Ne crie pas, j'ai coupé. Au moins que personne t'entende.

— J'ai pas pu ! J'ai pas pu...

— Ne crie pas. Alors ?

— Alors, elle s'est retournée, elle était forte tu sais, forte comme une femme. Elle m'a repoussé, mais moi je l'ai prise contre moi, j'ai voulu y toucher ses petits seins que déjà y pommaient, elle a reculé elle m'a lancé le coude dans la figure. O Clarisse elle a appelé : « Papa ! » elle a reculé, le ruisseau était là contre le dernier des saules, celui que le feu du ciel y a brûlé tout l'intérieur elle s'est embronchée elle a reculé, elle est tombée dans le ruisseau, le ruisseau était là et elle est tombée dedans, ô Clarisse elle a voulu s'attraper aux tiges de menthes mais, tout a lâché autour d'elle, le ruisseau était là elle est tombée dedans à plat le dos en faisant des éclaboussures moi j'ai tenté de la relever je l'ai prise par les deux bouts de son écharpe de cou j'ai tiré ô Clarisse j'ai tiré et en tirant les bouts noués de son écharpe je lui disais : « Viens, viens, reviens, je t'aurai... Tu sais pas, tu verras... » O Clarisse je savais plus je suis un malheureux. Sa figure s'est renversée en arrière elle était toute rouge violette je sais pas je me suis pas rendu compte, ô Clarisse j'étais fou je voulais qu'elle revienne contre moi que j'y touche encore sa peau douce pareille que le velours des pêches, ô Clarisse je suis un malheureux...

Le silence nous a écrasés. Après, Cyprien a encore dit d'un ton calme :

— C'est comme ça que je l'ai étranglée.

Puis j'ai entendu qu'y sanglotait, mais nous avons plus parlé ni l'un ni l'autre. La nuit était dans la pièce. Tant mieux. Nous aurions pas pu nous regarder en face, j'étais changée en pierre comme une statue.

*

Quoi dire après ça ? Quoi faire ? Les sanglots de mon mari, à la fin y se sont calmés. Quoi lui dire ? Je me suis même pas approchée de lui. Je suis allée à la fenêtre de la mansarde, j'ai ouvert le volet, j'ai regardé dehors, la rue était vide, le silence était partout, sauf le chant de tous ces cricris que ça fait tellement partie de la nuit qu'on le remarque plus. La lune était ronde dans le ciel comme dans une histoire de ces prix qu'on vous donne

184

à l'école. Tout était pareil qu'à l'habitude. Je savais que le ménage Pessegueux dormait dans sa chambre neuve, que Mastre allait bientôt se lever pour faire son feu de bois pour chauffer le four. Dans les étables quelque mouton grattait ses puces, quelque brebis se laissait téter par son agneau, quelque chèvre dormait sur ses pattes reployées. Moi je dormais pas, je pourrai pas dormir de la nuit et Cyprien non plus parce que ce qui était en nous ça brûlait comme la chaux vive. Je regardais la belle lune près de l'étoile jetant ses feux, je me disais : « Qu'est-ce qu'elle fait là-haut, cette toute pleine comme un œuf frais ? Y a des gens dessus ou y en a pas ? S'y en a, ils ont des malheurs semblables à nous autres ou bien un autre genre d'existence qui les met à l'abri de tout ? Peut-être je devrais aller voir monsieur le curé et lui mettre dans les mains ce que mon mari m'a raconté... Mais alors on viendra le prendre, on le mènera en prison lui qui se tient pas debout, on me le tuera de sûr, c'est normal, y se l'est mérité quoique ce soit pas exprès qu'il aye étranglé cette petite, mais s'il avait pas voulu lui faire des choses que c'est défendu, tout le reste ne serait pas arrivé... » Je me sentais lasse d'une fatigue qui me brisait les bras et les jambes et me pesait sur l'échine comme une charge de bois mouillé. O, je crois que j'aurais préféré être morte de ce moment et que lui aussi, cet imbécile malfaisant de qui j'avais été si fière de prendre le nom quand je m'étais mariée, il soit mort et qu'ainsi avec nous autres, le secret de cette saleté soit enseveli pour toujours dans le cimetière de La Côste. Seulement, nous étions vivants tous les deux et y fallait bien supporter, à moins de manger l'arsenic des rats sur du pain.

Mon mari continuait d'avoir des hoquets et des reniflements. Je le détestais. Je pensais : « Voilà : Moi je sais qu'aimer ou détester. Celui-là c'est un homme que jamais plus y trouvera le chemin de ma tendresse. Le portail, y s'est fermé à double tour. Oui. Et pourtant comment en sortir ? C'est pas moi qui vais aller le dénoncer, pas vrai ? Y mourra je le sais, c'est ce qu'il a de mieux à faire. Parce que moi, pour l'aimer à présent, c'est fini. » Oui, cette nuit-là, cette nuit terrible où ce secret à porter s'est fiché dans ma chair pareil qu'un couteau qu'on te lance et qui te troue la peau jusqu'au fond du sang, je me répétais ça. Et puis, je me suis rendu compte en étant de plus en plus vieille que ma haine même, elle devenait mince comme ces feuilles d'arbres qui ont plus de sève et qui sont prêtes à tomber. Détester, je l'ai compris, ça fait encore partie de l'amour. Mon cœur, si c'est vrai que c'est là-dedans, dans cette partie de nous que les sentiments font leur mélange, eh ben j'ai senti qu'y se ratatinait, qu'y se desséchait jusqu'à ressembler à cette chauve-souris que j'ai découverte écrasée, un jour entre ma vitre et mon volet. Et j'ai pu alors encore me trouver près de Cyprien sans avoir envie de le tuer. Seulement, c'était plus mon Cyprien d'autrefois, mon fiancé à la mèche frisée, à la parole franche, ni mon mari qui m'avait fait mes petits, c'était un homme que le destin m'avait attachée à lui comme on t'attacherait à un inconnu, à un ennemi au poteau de torture.

J'ai pensé tout ça et la lune semblait marcher vers le

côté du ciel, mais y paraît que c'est la terre qui marche. Moi, ça, ça m'est égal, je suis pas assez savante pour m'en occuper. A la fin je me suis retournée, j'ai fermé la petite fenêtre et j'ai dit :

— Allez! Ne pleure plus. Ça sert à rien.

— Je voudrais t'expliquer, il a soufflé Cyprien dans ses larmes.

— Tu m'expliqueras quoi? j'ai demandé.

— Que je l'ai pas fait exprès.

— Oui. Soi-disant que non. Tu me l'as déjà raconté. Inutile de recommencer. Si tu avais pas attaqué la petite, elle serait pas tombée dans le ruisseau pour y mourir.

— Je sais je sais... il a gémi. Mais j'en pouvais plus! J'ai lutté, Clarisse! Si tu savais comme j'ai lutté!

— Lutté contre ta saloperie? Une petite de douze-treize ans... Tu m'aurais trompée, à la rigueur je l'aurais pardonné. Y en avait pas des autres femmes? Des jeunes? Des faciles? Celles des Rossignols qu'elles demandent pas mieux que de recevoir des hommes pour gagner leur vie? Non! il a fallu que tu ailles jeter ton désir sur cette Marise que nous aimions...

— C'est pour ça, il a dit. Justement : Je l'aimais!

— Tu oses? j'ai grondé dans ma gorge. C'est ça que tu appelles aimer? Porter la main sur une petite de cet âge et lui serrer l'écharpe autour du cou jusqu'à ce qu'elle en perde le souffle?

— Je voulais l'embrasser, elle voulait pas... Alors j'ai tiré sur les deux bouts de l'écharpe nouée... Je me rendais pas compte... Je te jure que quand j'ai vu que sa jolie figure venait toute violette...

— Tais-toi, j'ai dit. Bordille! Garde tes confidences. Tu m'as assez mis de fiel dans le dedans, que jamais plus je dormirai tranquille de tout le reste de ma vie.

Cyprien s'était remis à pleurer.

— Et n'embête pas le monde par-dessus le marché, j'ai repris. D'abord tu aurais dû te supprimer tout de suite! C'était le mieux à faire.

J'étais dans une furie qui me faisait dire ce que je pensais pas. Et puis, dans le fond, peut-être que je le pensais? Je l'ai laissé continuer à pleurer tout seul, je suis descendue dans ma cuisine, j'ai pris la boîte de pâte à nettoyer et j'ai frotté mes casseroles de cuivre une après l'autre, toutes les cinq, même la bassinoire, celle qui a un chardon en relief sur son couvercle, puis à la fin je me suis arrêtée, parce que j'ai vu que mes larmes faisaient des petits ronds sur le brillant et que c'était pas la peine... c'était pas la peine... On était tellement malheureux qu'y avait plus qu'à souhaiter de mourir tout de suite.

*

Oui, je croyais être au bout de mes malheurs, mais j'aurais jamais pu croire que j'aurais à me battre avec mon mari... Me battre! Vous vous rendez compte? Moi, sa femme que, toujours, naturellement j'y avais obéi et que si j'aurais trouvé supportable qu'y me flanque une gifle comme tant de femmes l'acceptent sans faire des histoires de divorce devant les juges, moi, porter la main sur celui qui m'avait donné son nom, ça me serait jamais venu à l'idée.

188

O Seigneur, quand j'y pense! C'était le moment du printemps. Depuis quelques semaines, Cyprien il était plus calme. Je m'encourageais à croire que peut-être il allait mourir tranquillement comme ça, sans que personne ait jamais rien su. Je me disais : « Petit à petit je me consolerai, je retournerai au cabanon que ma pauvre Pauline et le brave Mastre y m'y ont réussi des semis comme jamais on en a eu et que peut-être j'y cueillerai les légumes frais. » Oui je me faisais de ces sortes d'idées et je m'habituais à me répéter que le mieux, après ce qu'il avait fait, c'était qu'y disparaisse en silence.

Et voilà qu'un jour, un dimanche... Oui! Il avait choisi le dimanche que tout le monde se tient dehors sur la place ou devant la grande porte de pierre, entre les deux cafés où les gens vont boire leur apéritif. Moi j'avais fait mes courses, je monte à la mansarde, il était onze heures, par un beau matin clair et qu'est-ce que je me vois devant? Mon Cyprien, debout au pied du lit, tout habillé! Lui qui avait plus un sou de force, il s'était trouvé le moyen de se mettre une chemise propre, le pantalon, le gilet, la veste, les chaussettes et les souliers, tout ce que je lui avais préparé auparavant pour l'enterrement de Pauline que j'aurais cru, à ce moment qu'y fasse l'effort d'y aller, mais il avait gémi : « Je peux pas, je peux pas... » Et voilà qu'à présent il était là, tout droit, tout debout et je reste immobile devant lui et je lui dit :

— Ben, qu'est-ce qu'y te prend? Tu t'es levé?

— Oui. Je me suis levé, il dit d'une voix tranquille.

— Je vois bien, je dis. Et tu t'es habillé?

— Oui, il dit. Je sors.

— Tu sors ? je répète.

— Oui, je sors, y répète encore. Je vais me dénoncer.

— Tu vas te dénoncer ?

Ces quatre mots, ça brûlait comme de l'esprit de sel dans ma gorge.

— Et à qui tu vas te dénoncer ?

— A tout le monde, il dit. Je vais sur la place de la Grand-Porte et j'apprends à tout le monde ce que j'ai fait. Y le faut.

— Cyprien ! je crie. Mais tu es fou !

— Fou ou pas fou, c'est ce que j'ai décidé de faire.

— Mais on t'arrêtera ! On te mettra en prison ! On te coupera la tête, tu le sais.

— On me fera ce qu'on doit me faire, mais y faut que je l'avoue que Marise, c'est moi qui l'ai étranglée.

— Mais non, Cyprien ! je dis. Mais non ! Tu sais bien, elle est tombée d'elle-même à la renverse et si tu y as tiré sur son écharpe, c'était pour la relever. Tu sais bien, tu me l'as expliqué ?

— Non, y dit. C'était exprès pour l'étrangler. Pour qu'elle raconte rien aux autres. Et c'est moi qui le raconterai. Y faut que tout le monde le sache, y le faut. Je l'ai étranglée exprès.

— Mais à quoi bon ? je dis je supplie. Ça sert à rien puisque le pauvre Simonin est mort ? Puisque plus personne y pense ? Pas même la justice ?

— Moi, j'y pense ! Et je peux plus le garder. Y faut que j'y aille. Y faut que je dise comme ça : « Voilà, c'est moi que je suis le coupable, c'est moi qui ai levé les mains sur la petite et c'est pour ça qu'elle a reculé et qu'elle est tombée dans le ruisseau des saules. Elle était rouge de peur et ses lèvres tremblaient et ses petites mains se jetaient en avant vers moi et moi j'avançais toujours et alors, comme je lui touchais la peau, elle a reculé et à la renverse elle est tombée dans l'eau. Et moi alors, penché sur elle, je lui disais : « Viens viens! Je t'aurai... » Et pour pouvoir lui embrasser la bouche, je l'ai tirée à moi par les deux bouts de son écharpe et ils se sont serrés en nœud sur son cou et je tirai et elle venait toute noire, mais moi je voulais arriver à sa bouche et je voulais plus qu'elle vive pour raconter la chose... »

— Bandit! j'ai crié. Tu es la dernière des brutes!

J'étais folle de rage, mais lui, calme et sans colère il a repris :

— Je sais. Je suis un assassin. C'est ça que je veux aller avouer à tout le monde de La Côste. Alors laisse-moi passer que je descende sur la place.

— Non! j'ai dit. Non! On a tenu le silence jusqu'à présent, on le tiendra encore! Je porte ton nom, je veux pas qu'on le salisse, tu as compris?

— Clarisse, il a dit d'un ton doux, laisse-moi aller.

— Non! j'ai encore refusé d'un air sauvage.

— Alors...

— Alors quoi? j'ai attaqué. Tu vas m'étrangler comme l'autre? Tu vas m'étrangler peut-être? Mais moi j'ai pas douze ans, tu sais? Je me laisserai pas faire.

— Sois raisonnable, Clarisse, il a redit.

— Sois raisonnable toi-même, imbécile! Tu comptes faire quoi, là, dans ton genre? Tu seras bien avancé quand on te mettra en prison!

— J'aurai plus cette chose qui me pèse.

— Tu l'auras toujours. C'est pas ce qui t'enlèvera. Le mal, tu l'as fait et jusqu'à ta mort tu le porteras.

— Alors je me tue.

— Ni tu te tues ni tu te dénonces. Tu restes tranquille et tu aggraves pas notre malheur qu'il est bien suffisant.

Je parlais comme ça et il s'était assis sur le lit et je me pensais qu'il avait compris.

— Allez! Déshabille-toi, j'ai commandé. Ni plus ni moins tu sortiras pas avec tes habits du dimanche que tout le monde sait que tu es malade. Reste tranquille, moi je te fais un bon dîner et puisque tu te sens mieux, demain nous allons au cabanon ensemble. Nous essaierons de reprendre un genre de vie qui soit normal.

Il ne répondait plus et je croyais que c'était fini. Je commence de descendre l'escalier et voilà pas que je me l'entends arriver derrière? Lui qui, la veille, se tenait pas sur ses jambes?

— Celle-là! je grogne. Tu veux remonter tout de suite?

— Non, y dit. Je veux sortir. Je veux aller sur la place.

— Tu sortiras pas.

— Je veux parler aux gens. Je veux dire comment je l'ai étranglée...

— Tu vas te taire et te recoucher, je répète.

— Non, je veux sortir!

O! Y m'a pris une sorte de fureur! Une folie! Je voyais cet homme se mettre à raconter en pleine Grand-Place qu'il était un assassin, lui, Cyprien Roman, facteur

192

retraité des PTT et moi portant son nom, moi sa femme, obligée de supporter le mépris des gens! Et y descendait l'escalier, marche après marche, en se tenant aux murs... Alors, oui je l'ai fait. Y avait une bûche sur le dernier palier, une souche d'olivier que Mastre m'avait tirée de la terre, je me suis baissée, je l'ai attrapée à deux mains et de toutes mes forces, j'y ai jeté dessus, puis je me suis mise les doigts sur la figure.

Ça l'a touché juste aux jambes et il est tombé de tout son long, d'un seul coup. Alors je suis remontée, je l'ai pris par le dessous des bras, je l'ai tiré, je l'ai allongé par terre, dans la mansarde, je me suis couchée sur lui, j'y ai serré les bras :

— Tu vas rester tranquille, oui? j'y ai dit.

Mais il a eu encore la force de se redresser pour s'asseoir sur le lit. Il a répété :

— Laisse-moi, je veux aller me dénoncer.

— Non! j'y ai crié. Je te tue plutôt!

— Tu me tues? il a dit.

Et y s'est mis à rire comme un enfant :

— Toi, Clarisse, tu me tues?

— Oui, je te tue plutôt que de te laisser aller, j'ai redit.

— Pourtant y faut que j'y aille, il a dit.

Et sans que je puisse le prévoir, y m'a lancé un grand coup de poing dans la poitrine. J'ai suffoqué, le souffle m'a manqué, son poing était pas fort mais il était dur et y m'avait coupé la respiration. Je me suis reprise, j'y ai encore serré les deux bras, je grinçais des dents. Je me sentais un courage du tonnerre.

— Reste tranquille ! j'ai crié.

— Laisse-moi passer, y disait encore doucement.

— Non.

— Alors je t'étrangle.

— C'est moi plutôt ! j'ai dit : Assassin de petites filles ! Salaud ! C'est moi que je t'étranglerai si tu continues.

On aurait pu croire qu'y m'entendait pas et moi y me prenait peur devant cette figure immobile, les yeux brillants, les os collés à la peau jaune sans un bout de graisse, la salive lui descendant au coin de la bouche et toujours me répétant avec le même entêtement :

— Laisse-moi, y faut que j'y aille. Y faut que je le dise.

Et je réfléchissais : « Ou y m'étrangle ou il y va... » Je savais plus que faire, il s'était relevé et nous se battions, sans parole : une gifle, une griffure, un tour de poignet, un coup de genou dans les jambes. Heureusement qu'il n'avait plus beaucoup d'énergie, mais moi non plus et je voyais le moment où j'allais succomber. Alors mes yeux se sont portés sur la bouteille d'éther que je m'en servais quand y lui prenait comme des crises de nerfs et qui était là avec le coton sur la table de nuit. Ça été une inspiration du bon Dieu ! J'ai attrapé le flacon, je l'ai débouché juste à une minute que j'avais les mains libres je l'ai renversé sur le gros paquet d'ouate et j'y ai collé sous le nez en appuyant si fort que je pouvais. Il a été surpris, il a ouvert la bouche avec une espèce de râle et je sais pas si quelques gouttes lui ont pas glissé dans le gosier, mais j'étais moitié folle et tout de suite y s'est renversé en arrière, il a dénoué les doigts qui me tenaient, y a eu un grand silence... La tête me tournait d'avoir respiré cette odeur. Il bougeait plus. Je me suis épouvantée : « Je l'ai pas tué, au moins ? » Puis il est revenu à lui, y s'est mis à pleurer petit petit comme un bébé, alors je l'ai déshabillé, je l'ai couché, je lui ai rangé les couvertures et quand il s'est eu endormi, tout est retombé dans le silence, nous sommes restés seuls avec notre malheur et jamais plus ensuite ni un ni l'autre nous avons reparlé de cette scène.

Bien plus tard, avant de mourir, il m'a seulement dit une fois :

— Tu as bien fait, Clarisse. Ça aurait servi à rien d'aller le raconter aux autres.

— C'est ce que je pensais, j'ai répondu.

Et comme ça, personne a jamais su le vrai du drame.

« A force de réfléchir je vois qu'y se fait tard. L'air fraîchit. Le soleil se couche derrière les chênes verts de la colline des Avons. J'ai plus bougé de place depuis des heures, j'ai trop pensé. A quoi ça sert de penser comme ça? La tête finit par vous tourner et cette drôle de faiblesse que, depuis quelques jours, je la sens jusqu'au fond de mes os, elle me cloue sur la chaise. A quoi ça sert de penser? On change rien. J'ai continué à mentir au monde, à lui faire bonne figure, à répondre « bonjour » et « bonsoir et ça va mieux merci, » à tous ceux qui me parlent et que je m'en fous.

Autrefois, enfin avant qu'y meure, il a bien fallu que je supporte d'entendre Cyprien me bourrer les oreilles de ses confessions. C'est là que j'ai appris que, pour lui, la petite Marise elle avait d'abord représenté dans son imagination, la Ninette sa mère toute jeune. Y m'a rappelé comme cette Ninette il l'aimait, quand elle était dans son enfance et comme ça lui plaisait de la prendre sur les genoux et de l'embrasser. Puis, quand la Ninette est devenue une femme et qu'elle a quitté La Côste pour épouser le pauvre Alfred, il a pas plus pensé à elle que si elle avait jamais existé. Mais le malheur a décidé que les Simonin reviendraient s'installer ici pour fabriquer des paniers et alors il a repris cette habitude, mon mari, de tripotailler la petite Marise comme il avait fait auparavant de la mère au même âge.

Ce qui se passe dans les esprits et dans les corps, allez le deviner? C'est fermé à double tour avec des serrures que tu en possèdes pas le secret. Tu peux taper des poings et des pieds dessus, mais y pénétrer, ça, tu peux pas. Pour moi, il a fallu que Cyprien ouvre de lui-même à deux battants et qu'y me dise : « Entre. » Et je m'en serais bien passée d'entrer, parce que ce que j'ai vu, c'était pas beau.

J'en ai entendu des paroles! J'ai senti que le remords ça peut être pire que ces bêtes que j'ai dit qu'elles rongent tout le dedans des fruits pour y installer un ver gras qui en fait sa maison en détruisant autour de lui. Pauvre Cyprien! Sûr que je l'ai aimé, que j'ai été heureuse ces temps où nous avons vu grandir nos trois petits et que si, de cette époque, on m'avait dit : « Ton mari deviendra un assassin » j'aurais jeté les bras sur la tête pour protester.

Ah oui, je voudrais pouvoir m'arrêter de réfléchir à toutes ces choses! Mais comment faire? Ça m'a tenu compagnie depuis la mort de mon mari et personne peut savoir ce que ça m'a coûté de tortures pendant que je passais des longs moments auprès de son lit où « la consomption le minait », comme il a expliqué le médecin, sans qu'aucun fortifiant ait le pouvoir de le guérir. J'ai entendu la répétition des mêmes radotages, des cent fois et des cent fois jusqu'à ce que le reniflement lui coupe la voix et dans l'ombre qui envahissait cette mansarde qu'il a jamais voulu quitter, y fallait bien que je l'entende me répéter :

« Ah, Clarisse... Si tu savais comme j'ai lutté! Quand j'allais chez les Simonin, je me tenais exprès les mains dans les poches de ma vareuse pour ne pas toucher la soie de sa peau... Et quand ses cheveux me coulaient sur la figure, tu sais si elle avait les cheveux doux, ah, je fermais les yeux et je serrais les dents... J'aurais dû me rendre compte que le jour où, par hasard je serais avec elle toute seule, je pourrais pas me retenir... Ah, pourquoi l'Alfred nous a laissés ensemble dans le pré? Et à chaque fleur qu'elle cueillait, je voyais cet éclat de peau entre ses socquettes écossaises et sa robe de laine et j'ai pas voulu... Tu le sais, toi, que j'ai pas voulu la tuer? Pas même la violer? Non... Je voulais pas... Je voulais l'embrasser, doucement doucement, qu'elle me laisse un peu reposer ma bouche sur cette tendreté de chair et j'y aurais pas fait de mal, jamais, jamais, je le jure... »

Maintenant y jurait qu'il avait voulu ni la violer ni la tuer! Pauvre Cyprien! Oui je sais, à ce moment je lui disais : « Tu es un salaud. » Et pourtant à présent je dis : « Pauvre Cyprien! » Et je le pense. Et quand j'ai été saoulée de toutes ses confidences, je lui ai demandé une fois :

— Et pour la Ninette, tu as jamais rien fait?

— Rien fait quoi? il a répondu.

— Eh ben, Alfred tu l'as oublié qu'il a été accusé de meurtre et que tout le monde lui a tourné le dos? Et que la fabrique de paniers, elle a été revendue pour ainsi dire rien? Alors, la Ninette et son fils, tu t'es soucié de quoi y vivent?

— Non, j'y ai pas pensé. Je suis trop malheureux pour mon propre compte.

— Ça change pas les choses, j'ai répliqué. Tu es responsable.

Et je me suis remise à réfléchir à cette idée que, puisque mon mari en était incapable, y fallait que ce soye moi qui le remplace. Alors j'ai calculé ce qu'on pourrait faire. J'ai commencé, sans en avoir l'air, à demander des renseignements un peu à tous, à Berthe Bugeaud, à Mastre, à Philomène Pessegueux... J'ai posé comme ça, à l'hasard, la question.

— Et la Ninette et son Hugues, qu'est-ce qu'y deviennent? J'en ai plus entendu parler.

— Ma foi! Berthe Bugeaud m'a dit, j'en sais rien.

— Ils sont toujours à Apt, Philomène m'a répondu.

C'est Mastre qui m'a le mieux renseigné. Il avait maigri, Mastre, depuis la mort de Pauline, que le pantalon de velours beige lui descendait sur les hanches et que, dans sa figure, deux traits s'étaient tirés en long entre les yeux et le bas de ses joues. C'était une bonne femme qu'il avait perdue, de sûr. Je dis « c'était », parce que lui aussi il est mort, à son tour. Qui est pas mort autour de moi? Marise, Alfred, Teisseire, Cyprien, Berthe Bugeaud, même la Philomène Pessegueux encore jeune, après l'opération de je sais plus quoi. C'est drôle que ce soye moi seule qui reste debout de toute cette époque? Pareil que cet olivier qui est au bas de mon bien et qu'un géomètre, venu un jour soi-disant mesurer un angle de

terrain, pour couper le tournant de la route que maintenant y passe beaucoup des automobiles, y m'a déclaré :

— Votre olivier, madame Roman, il porte pour le
moins deux mille années dans son tronc.

— Deux mille années ? j'ai répondu de surprise, il a
presque vu naître le petit Jésus alors ?

— Pas tout à fait, il a répliqué le garçon, mais sans
doute qu'y nous verra tous disparaître.

Il était beau ce géomètre, y riait avec des dents de
jeune chien, il avait ce genre de fraîcheur comme
Hugues Simonin qui, ce matin est passé par ici avec
Fonse l'aïguadier. Et trois jours pas plus tard que cette
conversation, y paraît qu'y s'est fracassé le crâne contre
un platane avec sa motocyclette. Et moi j'ai quatre-
vingt-cinq ans et je suis toujours là. L'olivier aussi. Allez
comprendre ?

Alors j'en étais à réfléchir à ce que Mastre m'a donné
comme renseignements sur la Ninette :

— Naturellement, elle peut pas être bien heureuse,
tu penses ! A Apt comme ici, tout le monde lui marque
le mépris de ce que l'Alfred a fait avant de se détruire.
Personne en doute et comment on pourrait en douter ?
C'est un homme à qui la folie a dû tourner la tête, pour
arriver à tenter de violer sa petite, puis de l'étrangler. Les
marques bleues que l'autopsie a vu, sur le tendre des
cuisses de la pauvre Marise, sa manie de répéter à tous
qu'elle était déjà faite comme une femme, tout… Si on
l'a mis en prison, on savait ce qu'on faisait et s'y s'est
pendu, j'ai fini par comprendre que c'est parce que les
remords l'écrasaient.

200

Je pouvais presque pas sortir une parole. A la fin j'ai demandé :

— Mais elle et le fils, comment y vivent?

— Elle fait le ménage dans une famille, Hugues est à l'école. Quand je vais au moulin, des fois je pousse jusqu'à Apt et je lui donne quatre sous pour s'acheter des bonbons. Personne lui porte d'aide, par la faute de l'Alfred.

— Et ils habitent où? j'ai interrogé.

— Dans une ruelle qui monte à la colline où Ninette s'est trouvée la garde d'une villa que les propriétaires sont au Maroc : « Les pittosporum » ça s'appelle.

J'ai plus rien répondu. J'ai fait que retenir ce nom difficile, parce que j'avais mon idée personnelle et j'en ai parlé à nul autre. J'ai laissé mourir mon mari tranquille. Tranquille... Si ça peut se dire? Parce que jusqu'à la fin, entre ses sueurs de faiblesse qui le trempaient de la tête aux pieds, entre ses séances de tremblements qui le secouaient comme un arbre que le mistral le prend dans ses mains et le balance de tous côtés, entre les crises de sanglots où y jetait dans ses hoquets, des mots qu'on y comprenait guère que « Marise » et « Mon Dieu Marise », que sa bouche restait ouverte et que sur les poils de son menton qu'y voulait plus se le raser, la bave lui coulait, mêlée à la morve du nez et au mouillé des larmes... O Seigneur, quelle triste chose il était devenu mon beau Cyprien des Balandres! Oui, jusqu'à sa fin je l'ai laissé tranquille. Et c'est un matin où l'octobre commençait à traîner ses brouillards sur le long de la Laye que, lui montant le café, à cet homme maudit par le destin, je l'ai trouvé mort, un matin comme les autres : Je l'ai trouvé raide mort : voilà.

Oui, ça devait arriver n'est-ce pas ? Il était mort. Et moi, j'y ai craché à la figure. D'instinct... sans pour ainsi dire le vouloir. Après, je l'ai essuyé avec la serviette et j'ai pleuré à côté de lui.

*

C'est quinze jours plus tard que j'ai décidé d'adresser le mandat. Naturellement je pouvais pas faire ça de La Côste. Madame Roubieu et le nouveau facteur, ils me connaissent trop. Forcalquier c'est encore trop près, j'avais pas confiance. Il a fallu que j'aille jusqu'à Aix, profiter de l'occasion d'un chargement de bois, partir le matin à cinq heures avec pas trop de chaleur et attendre l'après-midi pour revenir avec les deux hommes qui avaient plutôt bu un coup de trop et que j'étais pas tranquille.

A la poste de cette grande ville, j'ai inscrit sur la formule : « Envoi de madame Elodie Chaillan, 4, rue de Verdun, Aix-en-Provence. » Des « rues de Verdun » y en a dans tous les endroits de la France et y se pouvait bien qu'y en ait une à Aix ? Mais tant pis, on y chercherait madame Elodie Chaillan sans la trouver, c'était tout ce que j'avais voulu. Et j'avais bien contrefait mon écriture en la courbant vers la gauche, pour mettre : « A madame veuve Alfred Simonin, villa Les pittos-porum, Apt Vaucluse. » « Pittosporum », c'était un nom que je comprenais guère, j'avais mis qu'un t, puis un s à la fin, que je savais pas si c'était bien? Que ça arrive, c'était l'essentiel. Je sais que c'est un arbre qu'on appelle comme ça, qu'y fait des fleurs que tu croirais l'oranger tellement ça sent bon, c'est tout. Cet argent, la Ninette se demanderait d'où y lui tombait, j'en étais sûre. Mais j'avais que ce moyen de me soulager un peu la conscience, alors je me sentais contente. Même sans savoir si le mandat était parvenu.

Cyprien enterré, voilà que six mois plus tard, Mastre vient me voir un soir, habillé de sa veste, que d'habitude il a seulement le tricot. Y me dit :

— Clarisse, je dois te parler

Je pense : « Sainte Vierge Marie, y sait quelque chose... » J'ai dû avoir l'air tellement troublé qu'il a repris :

— Je comprends que tu devines, qué?

— Je devine rien, j'ai répondu.

— Hé ben alors, si tu devines rien, je te l'explique : Je viens te demander si tu voudrais pas te remarier avec moi! Tu es veuve, je suis veuf et d'amitié un pour l'autre, nous en avons toujours eu. Moi, ma maison tombe en ruines. Moralement je veux dire. J'ai plus de goût à rien et la solitude me fera finir dans l'alcool si tu m'aides pas. Toi...

— Moi... j'ai commencé.

— Toi, il a coupé, tes qualités je les connais. C'est celles d'une brave femme qui a soigné son brave mari jusqu'à la fin. Roman, je l'estimais et toi je t'estime à travers de lui. Alors si tu voulais être ma femme, le pauvre mesquin qu'il est au cimetière, pas loin de notre Pauline que tu l'aimais bien et, qu'oublie pas qu'elle a pris le chaud et froid pour te rendre service, tout le monde serait content.

J'ai fait silence. Il attendait ma réponse. J'ai dit :

— Ça demande réflexion.

Il a dit :

— Je t'en préviens, je veux pas rester seul. Je te préfère toi, mais si tu me refuses je parlerai à Berthe Bugeaud.

— Berthe Bugeaud ? j'ai répété d'un ton aigre.

— Oui. Pourquoi ? Tu en es jalouse ? Alors tant mieux !

— Vous savez pas, j'ai repris, vous devriez plutôt épouser la Ninette Simonin et vous élèveriez Hugues qu'il est sans père...

— Epouser la veuve de celui qu'après tout on sait pas s'il a tué ou non ? Merci ! Je me vois avec elle dans les rues de La Côste. Tous les voisins me montreraient au doigt. J'aurais une honte qui me ferait marcher courbé au ras de terre...

— Vous êtes guère courageux ! j'ai dit.

— Courageux à ce point, il a répliqué, c'est trop demander. J'ai l'honneur de mon commerce à soutenir, moi ! Je peux pas me voir la Ninette peser le pain dans ma boulangerie et entendre les gens faire toutes leurs réflexions sur ce fait que j'ai pris la suite d'un assassin !

Je l'écoutais. Et en moi-même je réfléchissais : « Hé ben, mon beau, c'est pas moi qui irai te le peser, le pain, dans ta boulangerie ! Ce que j'ai sur moi, c'est plus lourd que les poids de ta balance. Et si une nuit en rêve, la vérité s'échappait de ma bouche, pareil que ces petits mulots qui te filent sous les roches... Non non, c'est pas possible! »

— Je vous remercie de l'honneur que vous me faites, Mastre, j'ai répondu, mais je regrette, je ne veux pas me remarier.

A son tour il a fait un silence, puis il a demandé :

— C'est définitif?

— Définitif, j'ai répété.

— Tant pis alors! il a soupiré en se levant. Ça nous empêchera pas de rester collègues, pas vrai?

— Bien sûr, j'ai dit. Vous buvez un petit verre de marc?

— Merci. J'en bois que trop, il a dit.

Et il est sorti sans plus me regarder.

Un mois plus tard il a marié la Berthe Bugeaud et on a su qu'y la frappait et que c'était rien que des disputes. Ça a duré deux ans, puis il a tout vendu et il a acheté une porcherie du côté de La Bonde. J'ai plus entendu parler de lui.

Ça semble pas possible ce que les années passent au galop! Je me suis trouvée un vieux machin sans avoir eu le temps de m'en apercevoir et prendre l'habitude de faire tous les jours les mêmes gestes : Le réveil, le café, les commissions, descendre ici à Drailles, me déraciner mes quatre légumes, me cueillir mes quatre fruits, regarder la ligne des collines devant le ciel, manger, m'engourdir un peu dans un petit sommeil, parler à quelqu'un si quelqu'un passe, puis le soir remonter à La Côste. Et c'est comme ça que je suis arrivée à avoir quatre-vingt-cinq ans.

*

Maintenant, ça peut plus durer longtemps, mais allez dire combien? Vous en avez qui viennent centenaires! Alors, on leur fait des grandes fêtes : Y a le maire, le préfet, les maîtres d'école avec les petites en blanc et les petits en costume de la communion et on t'offre des fleurs, on te fait des discours, des cadeaux... Moi, ça me déplairait pas. Seulement, tu sais aussi que le cœur peut te claquer d'un coup sans presque que tu t'en rendes compte. A force de suivre un chemin c'est sûr que tu arrives au bout... C'est pas que je me sente mal, mais depuis quelques jours, la tête m'emporte le matin quand je me lève et ça me fait le tournis, pareil qu'aux moutons malades. Enfin, qui vivra verra! Et qui vivra plus, verra ce qu'y a derrière le grand mur de l'existence. S'y se trouve qu'y ait quelque chose...

Y faudrait que je range un peu le dedans de mon cabanon, quand même! Y a plus de quinze ans que je le dis et jamais je le fais. Ceux qui y rentreront après moi, y me trouveront bien désordrasse! Mais ce soir, non, je le ferai encore pas... Ce soir je me sens fatiguée. Demain. Allez, c'est promi madame Roman! Demain vous mettrez d'ordre. Comme il avait écrit sur sa porte, celui-là qui avait un restaurant : « Demain on mange gratis. » Un imbécile y lisait ça, y se présentait le jour suivant, le ventre et la poche vides. « Demain », le patron lui faisait remarquer : « Demain, mon brave, pas aujourd'hui ! » L'autre s'en allait capot. Ça, c'est le genre de l'existence. C'est toujours pour le lendemain qu'on te promet les choses. Et moi je fais pareil pour mon cabanon. J'y dis : « Demain je te rangerai, qué, mon gâri ? Mais pas aujourd'hui, je me sens les jambes comme le plomb. J'irai me coucher plus tôt que l'habitude même, puisque j'ai la chance que Fonse vienne me lever la vanne et me guider l'eau dans les rigues de mes haricots verts et de mes pommes d'amour, j'ai pas besoin de rester là plus longtemps vers le soir.

Y fait bon pourtant... Y doit y en avoir des amoureux qui se traînaillent derrière les hauts buissons de genêts comme nous faisions, Cyprien et moi quand c'était notre temps de fiançailles... J'étais si fière de m'être prise un beau garçon avec l'uniforme que les boutons faisaient brillant et que sous le képi, ses yeux, de celui qui me caressait, brillaient encore plus que les boutons... Qui m'aurait dit qu'un jour, y deviendrait cette chose sèche et ruinée, pareille un tronc d'arbre mangé par les bêtes et pas plus bougeante sur son matelas ? Ah, j'en ai eu du courage à le garder comme il était et toujours me rabâchant la même histoire que de sûr, si cette petite Marise lui faisait envie, c'était l'hasard qui l'avait conduit jusqu'à l'étrangler... Et y fallait que je m'entende répéter comment y l'avait laissé retomber dans le lit du ruisseau, cette pauvre nistone et qu'il était parti, la folie en tête, puis monté jusqu'aux Trois tours, avec la fameuse lettre recommandée à remettre aux Monsieurs, qu'y le savait bien qu'ils étaient à Vichy pour faire leur cure. Et cette course aller-retour, dans la pierraille du sentier de montagne, tellement y me l'a décrite, Cyprien, que je pourrais croire l'avoir faite avec lui.

— J'ai couru, y me disait, mais pas tout de suite. Tu comprends, tant que j'ai marché par le travers des champs, tout au long de ce ruisseau des saules qui va se jeter dans la Laye, je faisais exprès d'avoir pas l'air d'être pressé, puis après, dès que j'ai eu attrapé le bord de la colline, là où la roche s'enfonce dans la terre, j'ai coupé dans l'épais du buissonnement des cistes et des genévriers. Mon cœur, tu sais Clarisse, y tapait pareil qu'un tambour! Et les gouttes de sueur me faisaient cuire le dedans des yeux. Je suis arrivé aux Trois tours par-derrière, j'ai pas appelé, rien... Je voyais bouger personne. Je pensais : « Si quelqu'un vient, soit le fermier, soit sa femme, je dirai : Hé ben, depuis que j'attends, moi! Où vous étiez que je vous ai pas vus? » Mais après un moment, j'ai tourné par l'ouest du château et je suis venu devant la ferme. J'ai crié : « Alors, y a personne? » Et non, y avait personne. Et tu sais, Clarisse, y avait même pas le chien? J'ai menti encore pour le chien... Personne m'a posé la question, ça fait que j'ai pas eu à répondre. Mais j'en ai parlé moi, parce qu'y me semblait que ça me faisait un témoin. Quand j'ai dit que j'étais resté là-haut si longtemps en expliquant que le chien m'avait tenu compagnie, y me semblait qu'on me croirait mieux. Et sans doute que c'était vrai. Mais le chien, y devait être à courir quelque part et je suis resté seul. Seul, seul, Clarisse, à me demander comme la petite devenait, à mesure que l'eau du ruisseau des saules lui coulait dessus... Sur sa jolie figure, ses petits seins, son ventre... En jouant avec les deux bouts de son écharpe mélangés aux fleurs de menthe... O Clarisse je suis un bandit!

— Tais-toi, je grondais, tu me fais...

Des fois je parlais mal, j'en pouvais plus j'en pouvais plus, y valait mieux dix mille fois qu'y meure et j'avais envie à des moments, de l'étouffer sous sa couverture! Et à présent je dis : « Pauvre Cyprien... »

C'est parce que, depuis, j'ai vécu, beaucoup de temps. Quand je pouvais, j'allais à Aix expédier un mandat, toujours sous le nom de cette Elodie Chaillan que la Ninette devait se demander d'où ça tombait? Puis j'ai su que Ninette était morte à son tour et que les oncles s'occupaient du petit Hugues. Alors j'ai plus rien envoyé et, c'est là qu'encore, chez le notaire d'Aix, j'ai déposé le double de mon testament qui fait ce garçon héritier de mon bien.

Depuis, je me sens tranquille. J'ai tenu bouche close tout le reste de ma vie. Le drame qui m'est passé par les os, personne en a rien su. Et pourquoi je l'aurais raconté? A quoi ça aurait servi? Tous ceux qui y ont pris part, y sont dans ce monde que tu ignores si c'est l'enfer ou le ciel. Et chacun, il a plus qu'à se débrouiller avec ses propres responsabilités.

Mon Cyprien, au fond c'était pas un criminel véritable. Il avait raison quand y disait que c'étaient les circonstances qui l'avaient mené là. Dans l'enfance de la Ninette Bonnieux, déjà il avait pris ce genre de la carigner, après y l'a retrouvée dans la petite Marise. Et un jour y s'est vu, comme qui dirait le chien de chasse devant la perdrix. L'instinct l'a jeté dessus. Qu'il ait pas eu raison c'est sûr et que ça nous a fait passer, à lui et à moi, une existence épouvantable, c'est sûr... Sans parler de la grosse souffrance de ce père qui en est venu à se pendre sous le lavoir couvert et de cette mère qui en est restée paralysée jusqu'à sa fin. Qui s'en douterait quand on me voit mener tous les jours mon même train de vieille qui n'a pas de soucis ? « Ah, vous avez de la chance, vous, madame Roman ! elles me disent, les filles Teisseire. Vous avez votre terrain de Drailles, votre bonne maison de La Côste, la retraite du brave Cyprien... Enfin, y faut bien qu'y en ait à qui la vie a réussi ! Votre mari il a eu la neurasthénie, c'est vrai, mais c'est pas une maladie qui donne de peine. Et à part ça, tout a bien marché pour vous. »

Oui, « Tout a bien marché », comme vous répétez chaque fois que vous vous arrêtez sous mon poirier. « Tout a bien marché », sauf les nuits où je retenais Cyprien quand y voulait se jeter par la fenêtre de la mansarde ; sauf quand il exigeait que je lui donne la bouteille de marc pour en boire jusqu'à être saoul comme un cochon ; sauf quand y pleurait sa Marise et que je fermais tout pour pas que les voisins l'entendent ; sauf quand y décidait d'aller se dénoncer et que je sentais d'avance le déshonneur, salir le nom de Roman... La tête me tourne de repenser à toutes ces choses. « Ah oui, tout a bien marché, mesdemoiselles les Teisseire ! Vous pouvez le dire... Tout a très bien marché. »

210

Et ce soir, j'ai plus qu'à faire pareil que les autres soirs. Derrière la montagne des Avons, le soleil tire des grandes lignes rouges dans du vert clair. C'est signe de beau temps pour demain. La tête me tourne... Peut-être que j'ai pas bien digéré mon œuf sur les tomates ? Des fois, ça me reste sur l'estomac... Je vais enfermer mes poules. J'en ai six avec le coq. Ça me suffit bien, y sont déjà tous sur les barreaux. Ces bêtes, ça rentre tôt chez elles. Ma petite vaisselle, ô, deux siétons, une fourchette, la cuiller et le verre, c'est vite propre ! J'ai eu qu'à la rincer dans la baille que je la tiens sous l'eau de la gouttière ; des fois même je l'essuie avec un paquet de bauque, c'est une herbe sèche et dure qui fait le frottadou. Quand c'est trop gras, pour mieux la laver à ma maison d'en ville, je l'emporte dans un panier couvert d'une serviette blanche, que lui, jamais je le quitte. C'est mon compagnon. Y en a qui ont des chiens, moi, non, j'en ai pas. Celui des Trois tours, on l'appelait Miro... Miro ou Pataud ? La tête me vogue sur les épaules comme une banaste qui tient pas l'équilibre... Le soleil, il a fini d'éteindre son rouge derrière les Avons. Jusqu'à demain je le verrai plus. C'était Miro ou Pataud ? Quelle importance que je veuille quand même me souvenir de ça ? Miro, je crois ? Cyprien me l'avait dit, ce nom de chien, mais je le sais plus. Hou... la tête me tourne... Qu'est-ce que j'ai ? Celle-là elle est forte... Je peux plus me lever de dessus la chaise... Mais alors... Mais... Mais qu'est-ce que j'ai ? O, je me sens beaucoup mal...

La nuit est tombée et au long du chemin Alphonse Giraud parle d'un ton important :

— Tu comprends, Hugues, l'eau y faut la connaître. C'est pas le métier du premier venu d'être aïguadier. Parce que, tu sais, les bassins, que tu les as vus en venant de La Côste, ils ont coûté des sous ? Et le maire, il a été obligé d'augmenter les impôts de la commune. Dans le conseil municipal, tous étaient pas de son avis. Ç'a été des gros frais pour creuser le canal et monter les rives cimentées. Seulement, rends-toi un peu compte du bien que ça fait ? Tu avais des endroits, du temps de mon père qui me le raconte, des endroits comme les Améniers, que maintenant on y fait une fortune en haricots verts, eh ben la terre elle était plus dure que la pierre et on pouvait rien y faire venir... Tu m'écoutes ?

— Oui, dit Hugues.

— Si tu veux savoir le métier, y faut l'apprendre. Selon la manière que tu envoies l'eau, tu en perds la moitié et elle est précieuse. Trop guère à la fois, elle rentre dans le sol ; si tu la fais filer trop fort ça déborde et ça sert qu'à nourrir les mauvaises herbes des talus. Tu m'entends ?

— Oui, dit Hugues.

Alphonse Giraud éclate de rire :

— Tu sais pas ? Moi j'ai l'impression que tu penses beaucoup plus à la fille des Valdebrègue, qu'à t'instruire de la conduite de l'eau, non ?

— Quoi ?

Hugues Simonin tourne vers l'aïguadier un visage de fraîcheur où tout brille comme sur la peau d'une pomme. A son tour il rit, mais sous la mince moustache noire que le coiffeur de La Côste lui a imposée comme étant à la mode, les pulpeuses lèvres gonflées de sang de ce beau garçon plein de jeunesse, s'écartent pour découvrir les dents luisantes et régulières.

— Peut-être, dit-il.

— Tu aurais pas tous les torts, reprend Fonse. Je reconnais que cette Simone, c'est tout ce qu'y peut y avoir de joli sur la terre. Avec ça elle a des grosses qualités. Tu as vu si elle te soulève la vanne ? Dix-neuf ans, c'est le bel âge ! Vous iriez bien d'accord. Tu n'as pas envie de te marier ?

— Envie et pouvoir, répond Hugues, ça fait deux. Ces Valdebrègue sont des gens qui sont riches. Je doute que si je me déclarais, y veuillent de moi. Réfléchissez un peu, Giraud, j'ai rien, je vaux rien, je traîne derrière moi ce drame de mon père qui s'est pendu...

— O ! Ça, c'est oublié, dis ? Depuis le temps personne y pense plus !

— Ma sœur, qu'on a jamais su qui l'avait noyée...

— Ta sœur, la pauvre, elle s'est noyée toute seule, c'est clair ! Elle est tombée dans le ruisseau des saules, à la renverse et en se débattant, elle s'est étranglée avec son écharpe, que les tiges de menthes s'y sont mélangées, voilà tout. C'est clair! Tu vas pas te faire du mauvais sang toute ta vie avec ces histoires?

Le silence de quelques secondes suit cet échange de paroles. Alphonse et son élève marchent, l'un derrière l'autre, dans l'étroit sentier qui suit la berge du canal. Le soir du mois de juin qui met longtemps à assombrir le paysage, surtout dans ce pays où la clarté demeure reine, commence à mêler doucement dans les lointains, la ligne onduleuse de la montagne à celle du ciel. Hugues Simonin regarde apparaître à l'Est une lune paisible, puis il dit d'un ton pensif :

— Si seulement je possédais quelque chose : une maison, un morceau de terre à offrir à Simone? Mais j'ai rien.

— Tu as tes bons bras courageux. Tu as ton honnêteté. C'est quelque chose. Tu veux que j'y parle, moi, au père Valdebrègue? J'ai été à l'école avec lui, y me fait pas peur quoiqu'y soit riche.

— On verra... répond Hugues.

Il a la poitrine gonflée de cet amour qu'il se sent pour Simone. Dès le matin, puis ce soir où l'aïguadier et lui sont passés par cette belle terre, des Valdebrègue dont la vigne est en ordre, les arbres lourds de fruits et la jeune fille, pleine aux seins et aux hanches de ce qui fait la joie d'un mâle, il soupire après la possibilité de la possession. Mais la pauvreté de sa condition déséquilibre son espoir et il se répète en dedans que le mieux serait de n'y plus penser.

214

— Moi, reprend Alphonse Giraud, je trouve que c'est le meilleur pour un homme, d'être marié : D'abord d'une, ça te lève l'envie de courir après les garçasses parce que tu as que de te tourner, la nuit, dans le lit, pour trouver la tienne. Secundo, tu perds le goût d'aller tout le temps au bar comme quand tu es seul et ta santé elle s'en porte mieux. Après ça encore, tu as des gosses. Moi, je te jure que, quand je rentre pas trop tard à cause du travail et que ma Clarisse, elle me piétine contre les jambes et qu'elle me mouille toute la figure de ses caresses, eh ben, y a pas plus heureux que moi! Sûr que des fois on se dispute avec la femme... Mais qui se dispute pas sur la terre? Un coup de traversin ça range tout! Tu crois pas?

— Si, dit Hugues. Mais je vous ai expliqué mes raisons.

— Tes raisons? Tes raisons? C'est pas sûr qu'elles soient bonnes, tes raisons! Allez vaï! Moi j'y parlerai à Valdebrègue, je lui expliquerai l'estime que j'ai pour toi et tu verras que les choses se finiront peut-être mieux que tu te l'imagines.

— Je vous en remercie d'avance, dit Hugues.

C'est un garçon qui n'est pas habitué à parler beaucoup, parce que son enfance, avec une mère malade et en deuil, n'a pas été gaie, mais il est prêt à accueillir de l'existence le moindre bonheur qu'elle voudra bien lui apporter, cependant qu'il n'en attende guère, hors la satisfaction de gagner sa vie et de se choisir, peut-être, la femme qui lui plaira. Cette Simone Valdebrègue, c'est sûr qu'elle est jolie et travailleuse et de bon caractère, mais pourquoi supposer qu'elle le voudra, lui plutôt qu'un autre ? Par exemple, le fils aîné de La Sousta qui a déjà pu s'acheter une auto, il a de meilleures chances.

Tout en réfléchissant, les deux hommes n'agitent pas les mêmes pensées, car l'aïguadier, lui, songe que Dieu merci, sa journée terminée, il va pouvoir rentrer chez lui, quitter ses gros souliers toujours humides et prendre sur ses genoux le doux corps de sa petite fille, tout en savourant l'odeur du ragoût préparé par sa femme. Il marche le premier, posant un pied solide hors des racines tortueuses que font serpenter les romarins ; écartant d'une main dure les masses des genêts et ainsi il avance vite, de son pas souple de paysan habitué aux terres accidentées.

Soudain, à un carrefour de chemins, il s'arrête net :

— Hé ben ! Un peu de plus j'oubliais madame Roman ! Cette pauvre vieille, moi que j'ai promis d'aller y mettre l'eau...

— C'est vrai que vous y avez promis, dit Hugues. Elle doit vous attendre d'impatience.

— M'attendre... Penses-tu ? De ces heures elle est couchée depuis longtemps dans sa maison de La Côste. Tu comprends si je connais ses habitudes : Y a vingt ans que je lui vois faire le va et le vient.

Obliquant sur ses jambes gaînées de molletières, il s'enfonce dans le maquis de genévriers pour couper plus court et par là, atteindre la parcelle cultivée, où les plants de tomates de madame Roman sont attachés par du raphia à leurs tuteurs. La nuit commence à noyer de façon plus épaisse le paysage campagnard. L'aïguadier se presse de trouver, à l'abri de la murette de pierres sèches, l'endroit où, entre quatre briques maçonnées, est protégée la prise d'eau, puis, tirant hors de sa ceinture la clé de fer, signe de sa profession, il l'enfonce et la tourne dans le trou fait exprès et regarde avec plaisir, le jaillissement liquide qui emplit le creux.

— Lève la vanne, dit-il à Hugues et surveille un peu la coulée dans les rigues. Ça t'apprendra le métier.

Avec un frémissement joyeux de délivrance, l'eau court dans le ruisseau séparant les rangées de tomates aux fruits gonflés et rouges. C'est un plaisir physique inexplicable de la voir couler et danser au-dessus de quelques fines herbes échevelées. Une plante de boutons-d'or s'incline au passage comme en un geste de remerciement. Les deux hommes demeurent silencieux, puis Hugues annonce :

— Elle est au bout.

— Ouvre la deuxième tranchée, commande l'aïguadier.

Soigneusement, Hugues obéit et de son béchard, il déplace une pelletée de terre dont il comble la première ouverture ; et l'eau, de nouveau, se jette avec un bruit de rire contre la terre sèche qui l'accueille avec amour. Et Hugues, en faisant ce travail, pense à l'amour de l'homme qui pénètre ainsi avec cette joie fougueuse, dans la femme. Simone Valdebrègue rit de ce même rire à la fois secret et sensuel et Hugues songe que c'est avec une semblable ardeur qu'elle se jettera contre sa poitrine quand, peut-être, il leur sera permis à tous les deux de se sentir corps à corps, pareil que cette terre et cette eau.

Hugues se relève et se prépare à continuer ce travail d'arrosage qui lui plaît. Alphonse Giraud a allumé sa dernière cigarette de la journée et il la fume paisiblement, assis sur la murette de pierres.

Après une longue aspiration, il dit :

— Colle-toi un peu tout seul au boulot. Ça te formera. Après les tomates, tu as les haricots verts et au bout, là-bas, tu as quatre petits carrés de carottes et de radis. Ne les manque pas.

— Bon, dit Hugues.

— Mais vas-y doucement hé ? C'est fragile comme une pucelle. Prends ton temps. Si tu y vas fort tu emportes tout.

— J'ai compris, dit Hugues.

Tandis que l'aïguadier s'est allongé sur l'herbe pour le repos de quelques minutes, le garçon va diriger l'eau courante jusqu'à la pointe du triangle qui se perd dans le chiendent, vers les oliviers. Et tout en travaillant avec adresse du tranchant de son eïssade, il pense : « Ah, si au moins j'en avais un à moi, de ces morceaux de terre, c'est bien plus volontiers que j'y guiderais l'eau ! Dans cet endroit je ferai des melons et là des aubergines et des courgettes. Il est gaspillé, ce bien. Elle est trop vieille, cette femme, pour mener une charrue à main et c'est ce qu'y faudrait ici. Dépierrer d'abord, puis bien engraisser. Après, on y ferait venir des courges comme des maisons... Mais moi j'ai rien et jamais j'aurai rien. Ma sœur s'est noyée, mon père s'est pendu, ma mère s'est desséchée vivante dans la maladie, mes oncles sont morts, j'ai plus personne du nom de Simonin et j'ai pas un sou devant moi... Alors je suis bien le dernier des imbéciles, de me prendre l'audace de jeter mon regard sur cette Simone des Valdebrègue qui me plaît que trop. Ah oui, si j'avais un bien comme celui d'ici, j'en ferais une campagne si belle, si propre que tous les gens en baderaient d'envie! C'est rien de travailler quand on travaille pour soi. C'est un plaisir. Et Simone m'aiderait. Ça n'est pas une de ces filles qui méprisent la terre. Nous relèverions ce minable cabanon, d'un étage pour y loger avec les petits, parce que des enfants bien sûr il en viendrait... Derrière je dresserais un grand hangar, on pourrait avoir des lapins, des poules, pas quatre comme la vieille Roman, mais beaucoup et de ces blanches qui te font l'œuf chaque jour. Et je recrépirais la façade qu'elle tombe en loques, je peindrais les volets en bleu charrette que ça fait gai, Simone mettrait des rideaux de tulle derrière les vitres. Ça serait joli. On pourrait être heureux.

A cette seconde de ses réflexions, Hugues entend crier:

— Alors, jeune, tu rêves? Tu la vois pas, l'eau, qu'elle s'échappe vers les oliviers? C'est comme ça que tu surveilles?

Il sursaute: C'est vrai, il avait oublié l'eau! L'aïguadier s'approche et ajoute en lui prenant l'outil des mains:

— Ah, tu es pas encore un maître! Enfin, ça viendra. Allez! Finis de ranger les rigues pendant que je vais prendre les poires de la Saint-Jean que madame Roman elle m'a laissées pour ma petite. Que ça y fera plaisir à cette gourmandasse.

Hugues, obéissant, va boucher la deuxième tranchée et déboucher la troisième, puis il revient vers Alphonse Giraud :

— Elle vous les donnera elle-même. Je la vois qu'elle est assise devant sa porte. Regardez.

— Assise devant sa porte ? répète l'aïguadier. Qu'est-ce que tu me racontes ? A neuf heures du soir ? Hé ben, y a longtemps qu'elle est rentrée à sa maison de La Côste, cette pauvre femme !

— Pourtant, assure Hugues, je la vois de mes yeux.

— C'est pas possible ? réplique Alphonse Giraud. Jamais elle reste si tard ?

Cependant il se dresse et regarde du côté du cabanon :

— Ça par exemple, c'est vrai ! dit-il. Moi aussi je la vois.

Il appelle :

— O madame Roman ! Vous allez vous refroidir !

— Le chaud de juin... réplique Hugues qui a les manches de chemise relevées sur ses bras nus.

— A quatre-vingt-cinq ans, le chaud de juin, le soir, c'est du froid pour les vieux. Elle est folle de rester comme ça sur sa chaise...

— Mais regardez, Giraud, dit Hugues, on croirait qu'elle est toute tombée de côté ?

— Y faut aller voir, dit l'aïguadier.

Les deux hommes abandonnent l'eau qui en profite à nouveau pour faire un petit lac au bout de la troisième rigue puis, crevant la bordure, déborde avec allégresse, en libre cascade, vers la sèche terre où les oliviers ne l'ont jamais reçue que du ciel.

S'approchant du cabanon, les deux hommes voient que madame Roman a glissé doucement de sa chaise vers le sol, mais que le panneau de la porte de bois plein, peinte d'un bleu que les saisons ont délavé, l'a retenue à la moitié de sa chute et qu'elle est demeurée en équilibre de tout son corps léger, avec la tête qu'un dernier geste mou a fait tomber sur la poitrine, avec une main que le poids a emporté au long de sa jambe, avec l'autre aux doigts crispés, ouverte sur sa jupe grise et tendue, comme pour dire au revoir à quelqu'un.

— Nom de nom! gronde Alphonse Giraud. Y lui aura pris mal...

Il tente de relever le corps sur ses robustes bras, mais tout de suite il comprend. Son visage pâlit, il ôte gravement le béret basque qui ne le quitte jamais, il regarde Hugues Simonin et Hugues le regarde. Mais le garçon a d'épais cheveux noirs qui bouclent et ne porte rien pour les couvrir. Alors c'est seulement dans sa voix qu'il met le respect pour dire :

— Elle est morte?

— Oui, répond l'aïguadier.

— Ça vous fait beaucoup peine? demande Hugues après un silence.

— Oui, elle était brave et je l'ai connue que j'étais tout petit.

— Moi, je la connaissais guère, dit Hugues. Regardez : Elle vous avait préparé les poires pour votre petite.

— Ça sera son dernier souvenir, dit l'aïguadier.

Ils se taisent. L'eau chante sa délivrance au long de l'oliveraie. Il faudrait plus longtemps à l'irrigation pour

221

pénétrer jusqu'aux racines de ces gros arbres qui vont dans le sol aussi loin que les branches dans le ciel et, pour la minute, il n'y a guère que les bas buissons qui en profitent. Un merle, surpris dans l'épaisseur du laurier où il se nichait pour la nuit, s'envole lourdement. L'aïguadier demeure quelques secondes sans parole, puis il constate :

— Elle a une figure toute calme. Elle a pas dû souffrir.

— C'est vrai, elle a dû avoir une mort bien paisible… dit Hugues.

— Sûrement, confirme Alphonse Giraud. Et il ajoute :

— Comme sa vie.

Gattières, 9 juillet 1954.
Cuniez, 2 mars 1957.

Composition effectuée par
CMB Graphic (Saint-Herblain)

Aubin Imprimeur
LIGUGÉ, POITIERS

Cet ouvrage a été imprimé
sur du papier sans acide et sans bois

Achevé d'imprimer en décembre 1998
pour le compte de France Loisirs
123, bd de Grenelle, 75015 Paris
N° d'édition 27600 / N° d'impression L 57258
Dépôt légal, décembre 1998
Imprimé en France